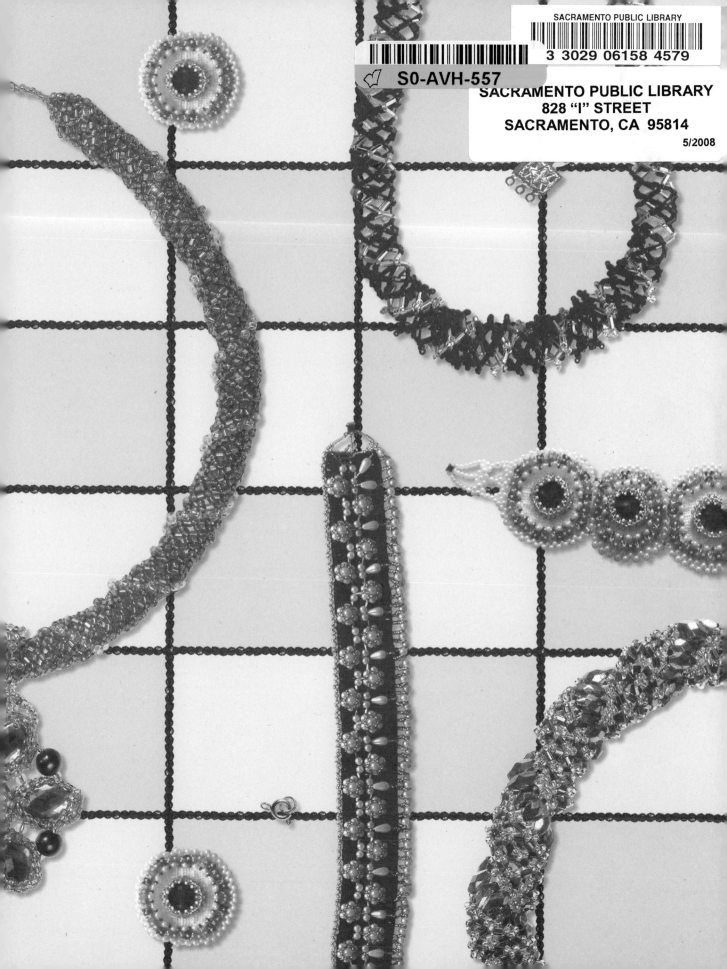

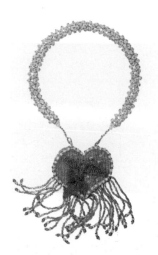

Зинаида Петрова   Алексей Петров

Модели из бисера

повседневные и вечерние

КОЛЬЕ

•

ЖГУТЫ

•

ПОДВЕСКИ

•

ЭКСКЛЮЗИВНАЯ
АВТОРСКАЯ
МЕТОДИКА

Москва
ЭКСМО
2006

УДК 746
ББК 37.248
П 30

Оформление художника Е. Ененко

Автор выражает благодарность своим ученикам и помощникам:
В. Сиволаповой, Ю. Авдеевой, С. Назаровой, Е. Завгородневой,
Н. Даценко, В. Охрименко, Е. Ткачук

Петрова З. А., Петров А. А.

П 30   Модели из бисера: повседневные и вечерние / Зинаида Петрова, Алексей Петров. — М.: Эксмо, 2006. — 80 с.: ил.

ISBN 5-699-15531-7

Представленные в книге авторские работы необычайно эффектны и оригинальны. Пошаговое описание изготовления каждого украшения максимально подробное; скрупулезно прописаны все мелочи, возникающие в процессе сборки изделия; простая, доходчивая манера подачи, народный язык без всяких технических терминов делают материал доступным для понимания и применения даже школьнику начальных классов.

Читатель найдет модели как попроще, так и посложнее — у каждого есть шанс повысить свое мастерство. Начинающие умельцы постигнут все азы бисероплетения, научатся создавать и скреплять площадки, пришивать замочки и постепенно освоят изготовление кулонов, подвесок и несложных жгутов, а также смогут их расшивать. Рукодельницы, уже знакомые с техникой, вправе сразу приступить к сборке сложных асимметричных колье, колье-стоек и роскошных жгутов с подвесками.

Наглядные схемы, лекала и цветные фотографии всех украшений сделают процессы моделирования и сборки легкими и увлекательными.

УДК 746
ББК 37.248

Азы
бисероплетения

Основные способы бисероплетения
Начало и завершение работы

КАК ПРИШИТЬ ЗАСТЕЖКУ

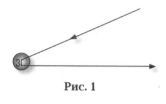

Рис. 1

Трижды войдите в ушко застежки. Туго натяните леску и завяжите два-три узла двумя концами лески.

- Если вы работаете одной иглой, то нерабочий конец лески надо просто спрятать внутри бисерного набора. Для этого втяните его во вторую иглу и пройдите внутри бисера, по пути сделав два-три узла. Обрежьте остаток лески.

- Если вы будете работать двумя иглами, то к оставленному концу лески в 15—20 см надо привязать леску от второй иглы. Пройдите вокруг стеночки застежки два-три раза, потом через бисерный набор, сделанный первой иглой, по пути создав пару узлов на оси набора *(рис. 1)*.

КАК ПРИВЯЗАТЬ И УДЛИНИТЬ ЛЕСКУ

- Сложите два свободных конца от первой иглы с двумя концами от второй иглы.
- Эти четыре конца лески (мы работаем леской в два сложения) оберните вокруг указательного пальца левой руки и сложите крестом. Крючком подхватите снизу сразу все четыре конца, протяните их, образуя петлю. Снимите с пальца и хорошо ее затяните.
- Так же сделайте второй узел, только рядом с первым, чтобы они не наползали друг на друга, иначе узел не пройдет в отверстие бисерины.

КАК НАБРАТЬ 10 БИСЕРИН «ПОД ПАЛЬЦЫ»

Чтобы было удобно застегивать колье, надо с обеих сторон от застежки, то есть в начале и в конце колье, набрать по 5—10 бисерин.

- Если потом работать одной иглой, то, по желанию, можно закрепить леску на последней бисерине. Для этого войдите в нее второй раз рабочей иглой. Можно этого не делать, если бисер прозрачный и будет видно леску.
Знайте, если конструкция изделия провисает, может просматриваться осевая леска. Второй конец лески спрячьте и обрежьте.

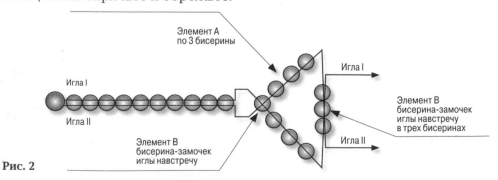

Рис. 2

КАК СОЗДАТЬ ТРЕУГОЛЬНИК

При переходе от ширины в одну бисерину к ширине в две и более бисерин нужен переходный треугольник. Он собирается одной или двумя иглами.
- Если вы работаете двумя иглами, то треугольник собирается, как показано на рисунке 2.
- Если вы работаете одной иглой, надо сразу набирать 5 — 10 бисерин «под пальцы» + 1 бисерина (эл.В) + 3 бисерины (эл.А) + 3 бисерины (эл.В) + 3 бисерины (эл.А). Затем вторично пройти иглой без бисерного набора через 1 бисерину (эл.В) + 3 бисерины (эл. А) + 3 бисерины (эл.В) и выйти, как сделано иглой 1 на схеме.

КАК ВЫПОЛНИТЬ ЦЕПОЧКУ «КОЛЕЧКИ»

- Цепочка «колечки» в два цвета на двух иглах *(рис. 3)*.

«Ступенька» — это переход от одного элемента В ко второму элементу В. Кольца немного находят друг на друга, выкладываются ступенькой. Скрывает небрежность вышивка-плетенка.

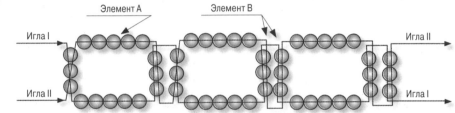

Рис. 3

- Цепочка «колечки» одного цвета на двух иглах *(рис. 4)*.
- Любую цепочку «колечки» можно собрать одной иглой, если в некоторых местах схемы «проходить» по несколько раз. На бумаге в клеточку нарисуйте нужную вам схему цепочки «колечки» и, не отрывая карандаш, пройдите по ней. Поняв ход карандаша, вы сумеете собрать из бисера цепочку «колечки» одной иглой, вне зависимости от того, два в ней элемента В или один.

КАК СДЕЛАТЬ ВЫШИВКУ-ПЛЕТЕНКУ ПО КОЛЕЧКАМ

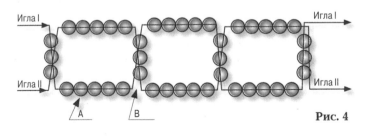

Рис. 4

- Когда колечки в два цвета, то есть по два элемента В, соблюдайте цвет в кольцах и их плетенках *(рис. 5)*.
  1. Игла — на выход, вышивка-плетенка в один ряд.
  2. Игла — назад, вышивка-плетенка в два ряда.

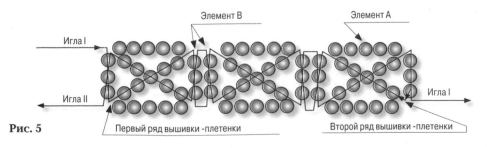

Рис. 5

Первый ряд вышивки -плетенки

Второй ряд вышивки -плетенки

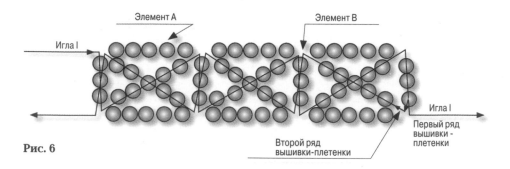

Рис. 6

- Когда колечки одного цвета, то есть по одному элементу В (*рис. 6)*.
  1. Игла — на выход, вышивка-плетенка в один ряд.
  2. Игла — назад, вышивка-плетенка в два ряда.
- Вышивку-плетенку можно делать в один ряд (туда-назад), по одному ряду с двух сторон (будет выглядеть, как жгут).
- Для вышивки-плетенки можно использовать бисер, мелкий стеклярус, но в начале и в конце вы должны оставлять по бисерине, чтобы не порезать леску. Если ставите крупную бусину, то «поднимитесь» до ее отверстия двумя-тремя бисеринами и «спуститесь» с ее отверстия также двумя-тремя бисеринами.
- Хорошо, когда вышивка-плетенка выпуклая. Для этого длина нижней диагонали должна быть больше элемента А кольца примерно на 1 — 2 бисерины. А длина верхней диагонали на 2 — 3 бисерины больше элемента А в кольце.
- Диагонали могут не накладываться друг на друга, а, как в случае с большой бусиной, иметь общую центральную бисерину. Вышивка будет похожа на паучка с четырьмя ножками. Определите сами длину этих ножек. Центральная бусина или бисерина могут нести дополнительное художественное решение по форме или цвету.

УГОЛКИ «КРЕМЛЕВСКАЯ СТЕНА» МОГУТ СТАТЬ ОЧЕНЬ КРАСИВОЙ ОКАНТОВКОЙ

- Первый уголок начинается от средней бисерины элемента А *(рис. 7)*.
- Не важно, сколько в цепочке элементов В. Это может быть даже и не цепочка «колечки», а какая угодно форма колье или детали.

При покупке бисера обратите внимание, одинаковый ли бисер по размеру. Если нет, то лучше не торопиться с покупкой, а поискать ровненький, иначе сделанное изделие будет некрасивым и перекошенным.

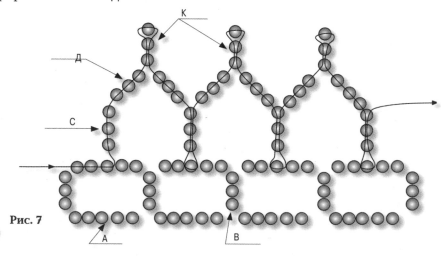

Рис. 7

• Если уголки строятся по внутреннему периметру колье, то элемент С обычно равен 2—3 бисеринам, или одной бусине, или одному стеклярусу.

Элемент Д при этом равен 3—4 бисеринам, или 1 бис. + 1 стекл. + 1 бис., или 1 бис. + 1 бус. + 1 бис.

• Если уголки строятся по внешнему периметру колье, то, конечно, они больше.

• Уголок заканчивается макушкой К из 2—3 бисерин. Этот элемент также может различно решаться по цвету, материалу. Главное, что крайняя бусина будет замочковой, то есть через нее леска пройдет один раз, а по двум другим бисеринам дважды. Для образности элемент К назовем маленькой веточкой.

• Веточка — это бисерный набор, заканчивающийся замочковой бисериной, через которую леска прошла один раз. Размер, форма, цвет веточек могут быть разнообразными.

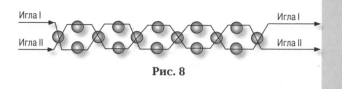

Рис. 8

Рис. 9

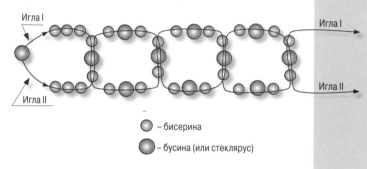

○ – бисерина

● – бусина (или стеклярус)

Рис. 10

ЦЕПОЧКА «КРЕСТИКИ»

• Цепочка «крестики» одного цвета двумя иглами *(рис. 8).*

• Цепочка «крестики» двух расцветок двумя иглами *(рис. 9).*

Есть много вариантов решения расцветки цепочки «крестики». Нарисуйте матрицу цепочки и фломастерами разрисуйте ее по своему желанию. Затем, следуя задуманному плану, соберите ее.

• Вариант № 1 на тему «цепочка «крестики» *(рис. 10).*

• Вариант № 2 на тему «цепочка «крестики» *(рис. 11).*

«Веточки»

○ – бисерина

● – бусина, цвет № 1

● – бусина, цвет № 2

Рис. 11

РАСТЯЖКА НА ПЕНОПЛАСТЕ

Данный метод используют, чтобы скорректировать форму уже готового изделия. Также он позволяет собирать изделия из отдельных деталей.

На пенопласте закрепите расчерченный под 90° лист бумаги с сантиметровыми разметками. Это будут линии для соблюдения симметрии. Затем готовые детали расположите на пенопласте и наколите иглами с пластмассовыми ушками (а не с загнутой петелькой!). «Поиграйте» деталями! Поищите максимально интересный вариант. Фантазии приходят в процессе поиска вариантов.

РУЧНОЕ ТКАЧЕСТВО. БИСЕРНОЕ ПОЛОТНО.
БИСЕРНАЯ ПЛОЩАДКА. ПОРЯДОВАЯ НУМЕРАЦИЯ БИСЕРИН

Ручное ткачество (или тканье без станка, или деревенское плетение) — это такой вид плетения из бисера, когда бисерины расположены друг над другом, как клеточки в тетради, и образуют полотно. Каждая бисерина связана с соседними бисеринами и вертикальными, и горизонтальными линиями лески.

Представьте себе сетку с прямыми углами в местах пересечения горизонтальных и вертикальных линий. В точках пересечения линий мысленно расположите бисерины. Множество бисерин, жестко связанных между собой, и образуют бисерное полотно. Это очень надежная бисерная конструкция, так как через каждую бисерину леска проходит 2—6 раз. Если работать леской в 2 сложения, то полотно получится качественным и надежным, невзирая на то, что бисер не откалиброван по размеру и немного различается по форме.

Задуманную площадку собирают из бисера. Она может быть простой и сложной формы. Ее исполнение всегда одинаковое.

Площадку надо начертить на бумаге в натуральную величину.

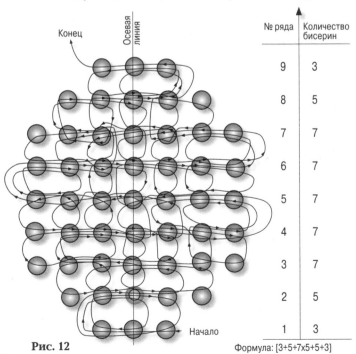

Рис. 12

№ ряда	Количество бисерин
9	3
8	5
7	7
6	7
5	7
4	7
3	7
2	5
1	3

Формула: [3+5+7х5+5+3]

Вокруг площадки требуется провести бисерную линию (для сокрытия торцов в бисерных рядах), поэтому размер площадки увеличится. Если вы не будете обводить бисером площадку, то собирайте ее точно по своему чертежу. Работая, все время прикладывайте готовое полотно к чертежу и решайте, где надо увеличить, а где уменьшить, когда закончить работу.

Разработав чертеж данной площадки, можно записать порядовое расположение бисерин. Тогда можно не прикладывать готовую часть площадки к чертежу.

Готовый чертеж надо разделить пополам осевой линией, и относительно этой линии записать цифрами количество бисерин в ряду. Если в каждом ряду нечетное количество бисерин, то осевая линия проходит через центральные бисерины. Если в каждом ряду четное количество бисерин, то ось проходит между бисеринами. С каждой стороны от оси одинаковое количество бисерин. Например, *на рис. 12* указано расположение бисерин в девяти рядах. Относительно осевой линии бисерины расположены пропорционально. В нашем случае 5 рядов имеют по 7 бисерин. Это можно не расписывать по каждому ряду отдельно, а записать кратко [7 (бис.) х 5 (рядов)]. По общей формуле нашей 1-й площадки [3 + 5 + 7 х 5 + 5 + 3] мы собираем все последующие подобные площадки. И во всех этих площадках в первом ряду будет по 3 бисерины, во втором — по 5 бисерин, затем 5 рядов по 7 бисерин, затем идет уменьшение, и в восьмом ряду будет по 5 бисерин, а в девятом — по 3 бисерины.

Если площадка сложной конфигурации, то можно записать бисерины в ряду цифрами так же, но при этом чертеж разбить на отдельные участки и описать каждый отдельно. В сумме же будет описана вся площадка.

РАСШИРЕНИЕ ПОЛОТНА ПРИ РУЧНОМ ТКАЧЕСТВЕ. РОВНЫЕ ТОРЦЫ ПЛОЩАДКИ

На *рис. 13* показано пошаговое плетение бисерной площадки.

- Первую бисерину закрепите, чтобы потом полотно не было слабоскрепленным. Для этого 3 раза войдите в бисерину № 1, как показано *на рис. 13а*. После этого наберите еще 4 бисерины. Войдите в бисерины № 2 и 3 сверху (от начала плетения) и выйдите. Подтяните леску.
- Пройдите через бисерины № 4 и 5. Наберите новую бисерину № 6. Пройдите через бисерины № 1, 2, 3. Выведите иглу *(рис. 13б)*.
- Вам надо выйти из второго ряда плетения. Не поленитесь и закрепите полотно: после бисерины № 3 пройдите по бисеринам № 4,5,6 и выйдите, как на *рис. 13в*.
- Наберите две бисерины № 7 и 8 для третьего ряда, см. на *рис. 13г*. Иглой в направлении «на себя» пройдите через две крайние бисерины № 5 и 6. Выведите иглу.
- Начинайте наращивать ширину площадки. Наберите сразу две бисерины № 9 и 10 *рис. 13д*, пройдите иглой «от себя» через бисерины № 7 и 8. Выведите иглу.
- По *рис. 13е* наберите бисерину № 11. Войдите иглой «на себя» в бисерины № 4, 5 и 8, пройдите через новую бисерину № 11. Выведите иглу.
- По *рис. 13ж* наберите сразу две бисерины № 12 и 13. Пройдите «на себя» через бисерины № 4 и 5. Выведите иглу. Войдите в бисерины № 8, 11 и 12 «от себя». Выведите иглу.

Работая по *рис. 13д, е, ж*, вы получите увеличение второго ряда до 5 бисерин. Столько же и в третьем ряду — 5 бисерин. Нам же надо получить увеличение до 7 бисерин! Над этим начинаем работать, опираясь на *рис. 13з*.

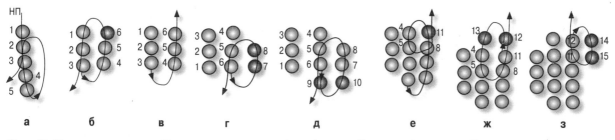

Рис. 13. Ручное ткачество. Увеличение полотна (а — з)   ● – новые бисерины;   ○ – закрепленные бисерины

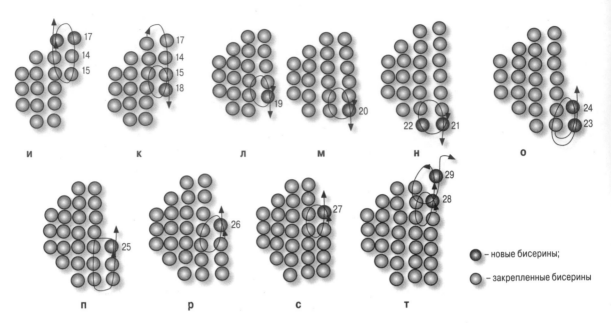

Рис. 13. Ручное ткачество. Увеличение полотна (и – т)

- В третьем ряду 5 бисерин. Бисеринами № 14 и 15 начните четвертый ряд. Наберите их, и «от себя» пройдите в две бисерины края третьего ряда, то есть в № 11 и 12. Выведите иглу.
- По *рис. 13и* наберите две новые бисерины № 16 и 17. Войдите в бисерины № 14 и 15, выведите иглу. Войдите в бисерины № 11, 12 и 16. Выведите иглу. В третьем ряду уже шесть бисерин, а надо семь. Чтобы увеличить с другого края третий ряд на одну бисерину, по *рис.13* сначала нарастите четвертый ряд до шести бисерин.

Для этого набирите четвертый ряд по *рис. 13к, л, м.* После того как поставите на место бисерину № 20, наберите две новых № 21 и 22 по *рис. 13н.* Закрепите их и перейдите к работе по *рис. 13о,* где бисеринами № 23 и 24 начинайте набор пятого ряда.

Отработав по *рис. 13о — 13т,* наберите бисерину № 28. Таким же образом закрепите бисерину № 29, и этим закончите ряд № 5. Далее по плану еще 4 ряда по 7 бисерин, то есть пойдет ровное полотно с наращиванием в каждом ряду, *см. рис. 13с–13т.* Таким образом, можно собрать ровное полотно с незакрытыми торцами.

СУЖЕНИЕ БИСЕРНОЙ ПЛОЩАДКИ МЕТОДОМ РУЧНОГО ТКАЧЕСТВА

Сужение бисерного полотна произойдет, если новый ряд вы начнете не от края, а оттуда, где планируете начало нового ряда. Для этого в предыдущем ряду выведите иглу не из торца площадки, а «обернитесь», чтобы игла вышла в нужном месте *(рис. 14).*

ОКАНТОВКА ПЛОЩАДКИ БИСЕРНОЙ ЛИНИЕЙ

Обычно сборка площадки заканчивается в ряду, где наименьшее количество бисерин. Рассмотрим готовую площадку [3 + 5 + 7х5 + 5 + 3] на *рис. 15.* Обозначим крайние бисерины периметра площадки. Их 20 штук. Их можно сгруппировать, сообразуясь с их свойствами.

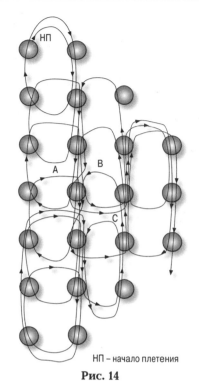

НП – начало плетения

Рис. 14

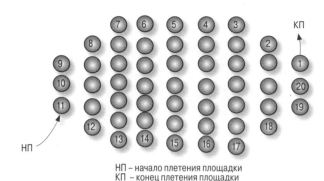

НП – начало плетения площадки
КП – конец плетения площадки

Рис. 15

- [3 + 4 + 5 + 6 + 7] и [13 + 14 + 15 + 16 + 17] бисерины образуют торцы площадки. На них сильно видно леску и отверстия бисерин.

- [9 + 10 + 11] и [19 + 20 + 1] бисерины образуют наименьшие ряды площадки. У них видно леску и отверстия бисерин только в начале и в конце рядов. Эти ряды (1-й и 9-й) выглядят, как трубочки. Так их и назовем — «трубочки».

- Еще есть «ступенечки», образующиеся при переходе от ряда к ряду, когда количество бисерин в них разное. Таких ступенек — четыре.

Мы разделили весь периметр на три части: «трубочки», торцевые бисерины и «ступенечки». Обтягивать их бисерной линией будем по-разному *(см. рис. 16)*.

Закончив собирать площадку, мы вышли из бисерины № 1. Наберите дополнительную бисерину и войдите в бисерину № 2 снизу вверх «от себя». Выйдите.

Наберите дополнительную бисерину и войдите в бисерину № 3 «от себя» снизу вверх. Выйдите.

Наберите сразу три дополнительных бисерины и войдите в бисерину № 5 сверху вниз. Выйдите. Тут же войдите в бисерину № 4 снизу вверх «от себя». Выйдите. Из этих трех дополнительных бисерин получилась «горбатая» линия. Выравниваем ее и укрепляем. Обозначьте этот набор справа налево: № 1, 2 и 3. Войдите в среднюю бисерину № 2, затем в левую бисерину № 3 и подтяните леску.

Наберите 2—3 бисерины. Войдите в бисерину № 7 площадки сверху вниз. Выведите иглу.

Наберите дополнительную бисерину и войдите в бисерину № 8. Выйдите.

Наберите дополнительную бисерину и войдите в «трубочку» из бисерин № 9, 10 и 11. Выйдите.

Наберите дополнительную бисерину и войдите в бисерину № 12 сверху вниз. Выведите иглу.

Наберите дополнительную бисерину и войдите в бисерину № 13 сверху вниз. Выведите иглу.

Наберите 3 дополнительные бисерины и войдите в бисерину № 15 снизу вверх и выйдите. Войдите в бисерину № 14 сверху вниз. Выйдите. Войдите в среднюю и правую бисерины окантовочного набора и выйдите.

Наберите 2—3 дополнительные бисерины. Войдите в бисерину № 17 снизу вверх и выйдите.

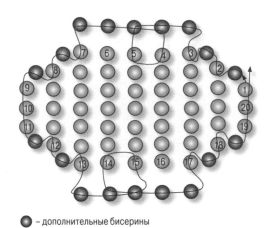

● – дополнительные бисерины

Рис. 16

Наберите 1 дополнительную бисерину. Войдите в бисерину № 18 «ступенечки» снизу вверх и выйдите.

Наберите 1 дополнительную бисерину и войдите в «трубочку» из трех бисерин № 19, 20 и 1. Выйдите. Можно выйти в центре «трубочки», то есть пройти через бисерины № 19 и 20, затем выйти, завязать узел на оси и начать крепить страз или пуговицу.

ОКАНТОВКА ПОЛОТНА АЖУРНОЙ ПОЛОСОЙ

Окантовка полотна может быть украшена дополнительно ажурной полосой. Можете воспользоваться схемой «Кремлевская стена» *рис. 7.*

• Если вы вокруг готовой бисерной площадки провели бисерную линию по *рис. 16,* то ажурную окантовку собирайте на ней. Чтобы ажурная окантовка не поднималась, как стенки у стакана, на прямых участках в основании пропускайте некоторое количество бисерин. Обозначим это количество знаком Х.

На выпуклых участках пропускайте меньше бисерин, Х — 1; на вогнутых — больше бисерин, Х + 2.

• Ажурную окантовку площадки можно проводить и без выполнения бисерной линии по *рис.16.* Тогда крепление ажурной полосы будет такое же, как и крепление бисерной линии.

БИСЕРНОЕ ПОЛОТНО ОДНОТОННОЕ И С РИСУНКОМ

Чаще всего однотонное полотно делается фоном под дополнительную вышивку. При его создании может использоваться неоткалиброванный бисер, потому что его несовершенство не будет заметно.

При красивом бисере можно собрать из небольших площадок интересное и несложное колье, не расшивая его.

Для того чтобы собрать бисерное полотно с орнаментом, можно воспользоваться рисунком для вышивки крестиком. В этом случае нужен откалиброванный бисер одного номера и одной фирмы-изготовителя. Эта работа несложная: собрать бисерную картину методом ручного ткачества проще, чем вышить ее на ткани. Только такая картина будет тяжелая по весу. Ремешки для часов, ремни, сумочки, шкатулки с рисунком будут выглядеть потрясающе!

ЗАКРЕПЛЕНИЕ СТРАЗА НА БИСЕРНОМ ПОЛОТНЕ (С БУЛАВКАМИ, БЕЗ НИХ)

Нас интересуют стразы с отверстиями под иглу.

При креплении страза можно пришить его к бисерине. Но отверстие может быть занято, ведь леска через многие бисерины проходит до шести раз.

Ряды бисерин обычно очень плотно прилегают друг к другу, поэтому нужно найти просвет, позволяющий войти игле.

Определите, где должен находиться страз. Иглой с леской попадите в отверстие страза.

1. Войдите в промежуток *A*. Выйдете с изнанки площадки. Войдите с изнанки в промежуток *B* и выйдите с лица площадки. Подтяните иглу с леской до характерного щелчка.

2. Из промежутка *B* вы можете сделать шаг в промежутке *C*, но там меньше линий лески.

Будут моменты в работе, когда и за одну линию лески будете крепиться. Старайтесь не порвать леску в полотне.

Выведите иглу. Наберите две бисерины. Иглу проведите через бисерину, страз и площадку. Выведите иглу. Страз держится второй бисериной. Она стоит вертикально, первая же бисерина — горизонтально, поэтому закрывает собой отверстие страза.

Начинайте обводить страз бисерными кружевами. Дойдите до второго отверстия страза и прикрепите его с помощью двух бисерин. Помните, игла дважды входит в первую бисерину, и только один раз — во вторую. После второй бисерины игла проходит в отверстие страза, затем в полотно. Тогда не будет видно рабочую леску и отверстие страза.

Страз пришит, а вы продолжаете собирать вторую половину бисерных кружев вокруг страза, пока не дойдете до первого отверстия. В завершение соедините начало и конец кружевной обвязки.

ЗАКРЕПЛЕНИЕ ПУГОВИЦЫ НА БИСЕРНОМ ПОЛОТНЕ (БЕЗ РАСТЯЖКИ ПУГОВИЦЫ ЛЕСКОЙ И С РАСТЯЖКОЙ)

В магазине, где продают фурнитуру, богатый выбор красивых пуговиц.

Пуговицу можно пришить к бисерной площадке, 3 — 5 раз проведя через ее отверстие рабочую иглу с леской. На площадке же лучше провести иглу через бисерные «трубочки», то есть через ряд бисера.

Стоит научиться жестко растягивать пуговицу.

Пришейте пуговицу, проводя леску 1 — 2 раза сквозь 2 — 4 бисерины ряда площадки, названного нами «трубочка» *(рис. 17)*.

Затем «растяните» пуговицу рабочей леской по четырем точкам площадки *(рис. 18)*.

На *рис. 18а, б* показано только по одной линии растяжки пуговицы (для наглядности чертежа). «Цепляться» лучше за бисерины площадки.

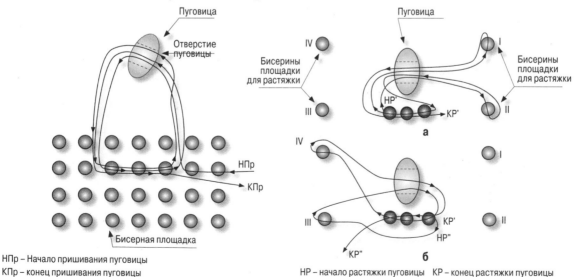

НПр – Начало пришивания пуговицы
КПр – конец пришивания пуговицы

Рис.17

НР – начало растяжки пуговицы   КР – конец растяжки пуговицы

Рис. 18

ВНИМАНИЕ! От каждой растяжки пуговица поворачивается, поэтому, когда натягиваете рабочую леску, держите левой рукой покрепче пуговицу и площадку и не давайте им смещаться.

Крепить пуговицу к линиям лески между бисеринами площадки нельзя.

Линии рабочей лески должны располагаться под пуговицей, и старайтесь, чтобы больше чем на 1 мм леска не выглядывала из-под пуговицы. А этот 1 мм вы закроете потом бисерным кружевным «стаканчиком».

АЖУРНЫЙ «СТАКАНЧИК» ИЗ БИСЕРА ВОКРУГ СТРАЗА, ПУГОВИЦЫ ИЛИ БУСИНЫ
(в один ряд; в два ряда; с вышивкой рядов; с проложением дополнительных бисерин в рядах; с захватом точки пришивания, без захвата точки пришивания)

• Ажурный «стаканчик» в один ряд очень прост в изготовлении и эффектен по виду. Закрепив и растянув пуговицу, закрепив страз в первой точке или пришив бусину, начинайте собирать ажурный «стаканчик» вокруг них.

Чтобы понять, как это делается, вернемся к рис. 7, на котором изображено кружево «Кремлевская стена». Для того чтобы «Кремлевская стена» встала перпендикулярно к плоскости площадки, надо изменить ее размеры и место прикрепления, а принцип сборки оставить прежним.

Размер С зависит от толщины пуговицы (С = 1, или С = 2, или С = 3).

Размер Д = 1, или Д = 2.

Размер К = 1.

Крепление к площадке происходит и как на рис. 7, если сумеете войти в бисерину, и зацепкой за линию лески в основе площадки.

Шаг движения «Кремлевской стены» — через 2 — 3 бисерины в площадке *(рис. 19)*.

Здесь С = 1.

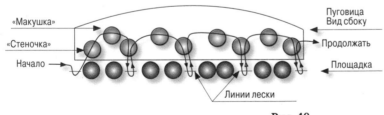

Рис. 19

Здесь С = 2.

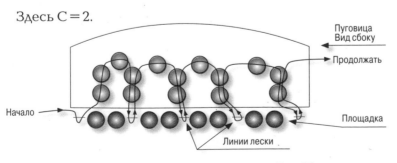

Рис. 20

> Не стоит отбирать для плетения бисеринки с изъяном, иначе вы испортите все изделие.

> Работая над изделием из бисера, постелите на стол тканевую салфетку. Это позволит избежать раскатывания бисера по столу. Можно использовать фланель, сукно, драп. С них легко набирать бисеринки иглой.

Здесь С = 3.

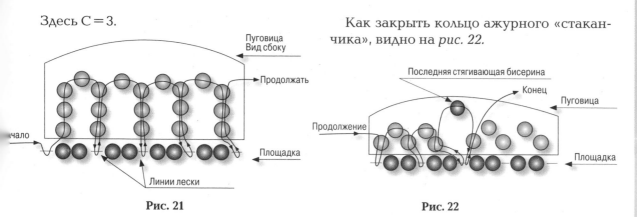

Рис. 21

Как закрыть кольцо ажурного «стаканчика», видно на *рис. 22.*

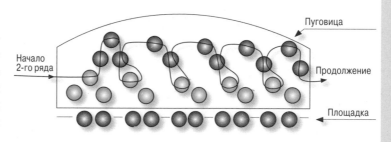

Рис. 22

• Когда ажурный «стаканчик» первого ряда готов, можно переходить ко второму ряду. Это удобно, если нужно увеличить высоту ряда; либо если второй ряд располагается в большей степени горизонтально, чем вертикально.

Второй ряд также может иметь разные характеристики: С от 1 до 3, Д от 0 до 3, К от 1 до 3 бисерин. Вам предлагается: С = 1, К = 1, Д = 0 (рис. 23).

Рис. 23

• Любую из деталей ажурного «стаканчика» можно вышить.

Количество бисерин может быть больше и меньше, чем на *рис. 24.* Можно даже заменить их на бусины или стеклярус.

○ – новые бисерины для вышивки

Рис. 24

• Крепление дополнительных бисерин в рядах можно рассматривать как элемент вышивки. Надо тщательно подобрать размер, форму и цвет материала.

Дополнительные бисерины в

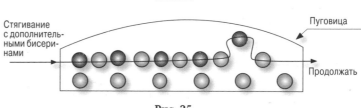

Рис. 25

рядах увеличивают размер, то есть периметр ряда станет больше. Поэтому это дополнение хорошо делать в 1-м ряду «стаканчика», когда уже есть 2-й его ряд (рис. 25).

• Рассмотрите рис. 19 — 25. Элемент К в вышивке «стаканчика» всегда свободен. Если через элемент К просто пройти рабочей иглой и стянуть леску, то периметр, по которому расположены все элементы К, уменьшится. Сделав это, можно обойтись без сборки второго ряда «стаканчика». Пользуйтесь способом стяжки в том случае, если ажурный «стаканчик» великоват и просматривается леска.

КОНСТРУИРОВАНИЕ БИСЕРНОГО ПОЛОТНА, ВЫПОЛНЕННОГО МЕТОДОМ РУЧНОГО ТКАЧЕСТВА
(квадрат, ромб; полоса; круг, овал; сложные бисерные площадки крест, сердечко, бабочка и т.д.)

Конструирование бисерного полотна начинается с чертежа. Когда вы определили форму и размер будущей площадки и начертили ее на бумаге, вам остается решить, с какого места вы начнете сборку бисерной площадки.

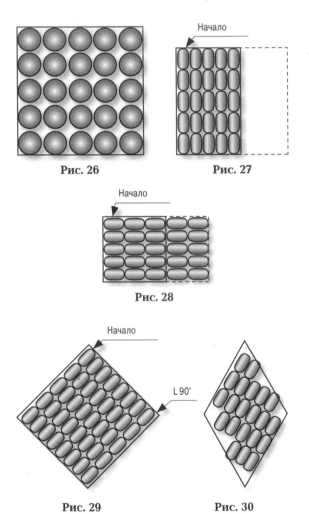

Рис. 26   Рис. 27

Рис. 28

Рис. 29   Рис. 30

• На первый взгляд кажется, что квадрат или ромб — наиболее простые конструкции. Если вы работаете с. хорошо откалиброванным бисером, то это так, но для учебы стоит брать бисер дешевый, у которого длина бисерены чаще всего больше ее ширины. К тому же редко удается ряды бисерин прижать друг к другу идеально — промежутки неизбежны. Из этого следует, что количество бисерин в ряду не будет равно количеству рядов при сборке квадрата и ромба. Рассмотрите *рис. 26, 27, 28*.

Прикладывайте к чертежу готовую часть площадки и выносите решение, надо ли увеличить следующий ряд, а может, уменьшить или сделать таким же.

Когда ромб имеет углы по 90° — то это просто перевернутый квадрат, как на *рис. 29*.

Когда ромб имеет углы, не равные 90°, то его торцы будут ступенчатыми, как на *рис. 30*, и только с помощью дополнительных бисерин, как на *рис. 16*, и бисерной линии можно собрать такой ромб.

• Площадка в форме полосы есть не что иное, как квадрат + нужное количество рядов (если углы равны 90°).

Если углы не равны 90°, то ее надо собирать, как ромб на *рис.* 30, ступенчато, вести до нужной длины. Затем с помощью дополнительных бисерин «прикрыть» «ступеньки», как на *рис.* 16.

Круг и овал обводите дополнительной бисерной линией и «прикрывайте» все «ступенечки». Площадка будет выглядеть опрятнее.

Дополнительной бисерной линией можно изменить форму площадки, например трансформировать в листик. По одной схеме круга или овала попробуйте собрать площадки «ягодки» или «цветочки» и площадки «листики».

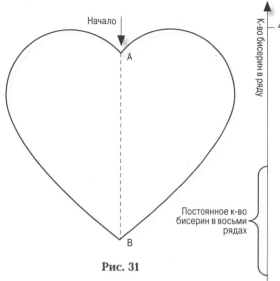

Начало

A

B

Постоянное к-во
бисерин в восьми
рядах

Рис. 31

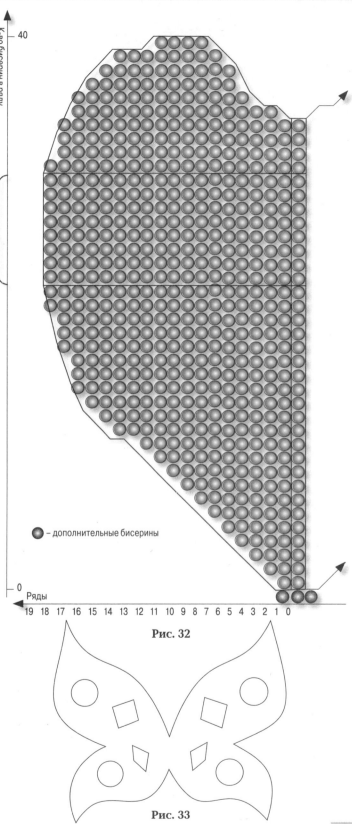

К-во бисерин в ряду

40

0

– дополнительные бисерины

Ряды

19 18 17 16 15 14 13 12 11 10 9 8 7 6 5 4 3 2 1 0

Рис. 32

Рис. 33

• Сложные бисерные площадки.

Сердечко. Нарисуем эскиз сердечка необходимой величины.

Эту же форму площадки можно использовать при создании листа или лепестка цветка.

Наберите «трубочку» бисерин длиной АВ по рис. 31. Соберите площадку в одном направлении, то есть одну половинку сердечка. Затем привяжите к оставленному концу лески рабочую иглу и соберите вторую половинку сердечка.

На *рис. 32* показано порядовое количество бисерин в площадке «сердце». При желании ступенчатость площадки можно сгладить, проведя бисерную линию, как на *рис. 16*.

Бабочка. Можно начать выполнение модели от центра. Количество бисерин указано на *рис. 34*.

На *рис. 35* площадка набирается сразу в разных расцветках. Собирать такую бабочку можно и от центра симметрии, и от края крыла. Если хотите, оставьте пустоты для «воздушности» либо «соберите» цветовые пятна или сеточку.

Если размер отверстия в бисеринках подходящий, нанизывайте их на двойную нить. Этим вы добьетесь особой прочности изделия, да и у иголки со сложенной вдвое нитью не будет шанса соскользнуть и затеряться. Особенно это существенно при работе с двумя иглами!

Замки для украшений из бисера можно использовать готовые. Если вы вдруг не нашли их в специальном магазине для рукоделия, снимите с ненужных вещей.

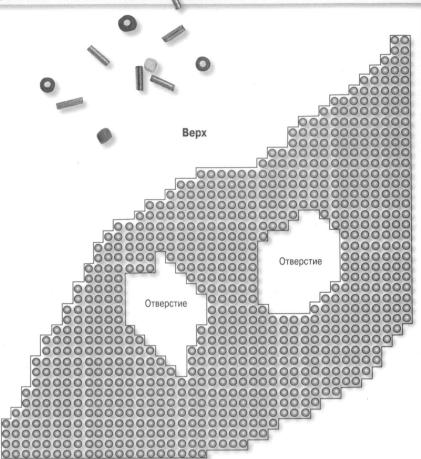

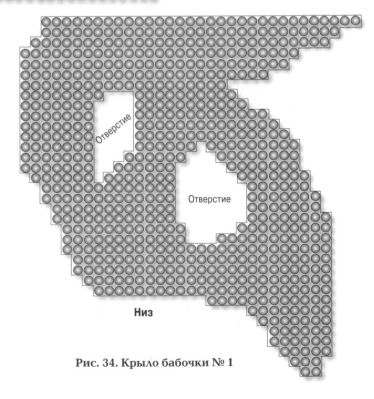

На *рис. 36* еще одна модель бабочки с туловищем.

На *рис. 37* вам предлагается образец выполнения бабочки уже с заданными размерами. Если вы решили собрать бабочку размером 6 см х 5 см, масштаб на рисунке следующий: 3 см = 14 бисерин, 5 см = 28 рядов.

На бумаге в клеточку вычертите квадрат 28 клеток х 28 клеток и проведите осевую линию. В пределах половинки квадрата нарисуйте половинку бабочки с двумя крыльями. «Разрисуйте» ее цветными бисеринками или расшейте после сборки площадки пуговицами или стразами.

Рис. 34. Крыло бабочки № 1

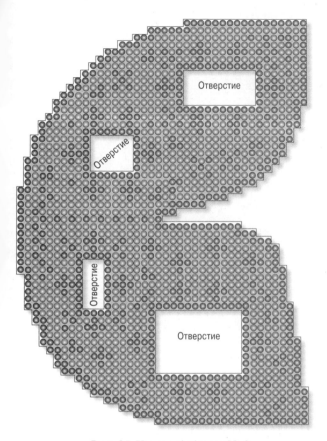

Рис. 35. Крыло бабочки № 2

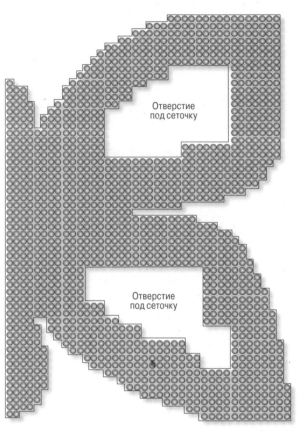

Рис. 36. Крыло бабочки № 3

На схеме: Отверстие, Отверстие, Отверстие, Отверстие (для рис. 35); Отверстие под сеточку, Отверстие под сеточку (для рис. 36)

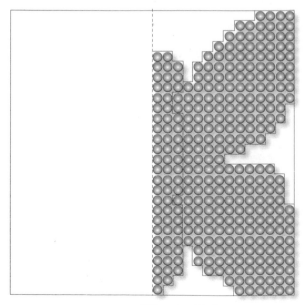

28 бисерин = 6 (см)
28 рядов = 5 (см)

Рис. 37. Бабочка № 4 с заданными размерами

ПЕРЕХОД ОТ ОДНОЙ БИСЕРНОЙ ПЛОЩАДКИ К ДРУГОЙ. СОЕДИНЕНИЕ ПЛОЩАДОК
(прямое и через дополнительные бисерные линии)

При использовании одних и тех же площадок, но соединенных разным по цвету и размеру материалом, форма колье получится иной.

На *рис. 38* вы видите прямое соединение площадок в изделии «Волшебный цветок».

Площадки соединены линией лески только один раз. Лучше сделать это 2—3 раза.

На рис. 39 колье «Волшебный цветок» сделано с использованием второго способа соединения площадок — через дополнительные бисерные линии. Между лепестками-площадками образуются

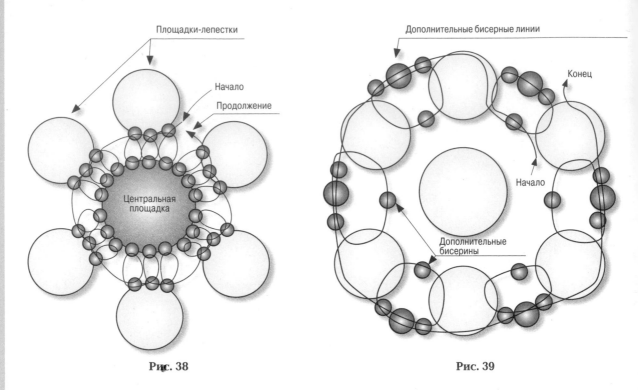

Рис. 38

Рис. 39

пустоты. Соединить их в жесткую конструкцию можно дополнительными бисерными линиями. Заранее никогда не решить, какой длины будет та или иная бисерная линия, поэтому расположите площадки на пенопласте. Приколите их иглами. Опытным путем определите, какой длины и из какого материала, в какой последовательности пролягут бисерные линии.

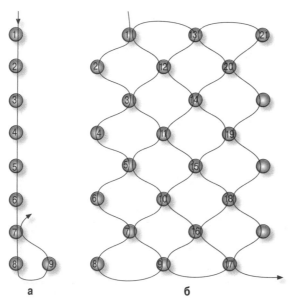

Рис. 40. Полотно мозаика на четном количестве бисерин

МОЗАИЧНОЕ ПОЛОТНО
из бисера; из стекляруса

Мозаичное полотно возможно набирать двумя иглами или одной. Все колье в книге выполнены одной иглой.

Подобрать нужную ширину полотна можно, сделав образец двух рядов.

В зависимости от того, какие торцы бисерной площадки вы хотите получить, соберите ее по одной из предложенных схем:

На *рис. 40* площадка имеет торцы, при которых бисерины плотно прижаты друг к другу, так как леска в них проходит дважды; отверстия бисерин рядом.

Вертикальный ряд (или край) будет иметь зубчатость, когда выпуклыми окажутся четные бисерины.

На *рис. 41* площадка имеет разные торцы. Один из них, начатый от бисерины № 1, будет такой же, как и на *рис. 40*. Второй торец будет выглядеть «лохматым», то есть через нижние крайние бисерины леска пройдет только один раз. Это дает нам дополнительную свободу действий. Например, сразу при сборке площадки от этих свободных бисерин можно набирать «веточки», как на *рис.11*.

В торцевых горизонтальных рядах (в первом и последнем) рабочая леска вынуждена разворачиваться на 180°, натягиваться и плотно сдавливать бисерину. В этих рядах не ставьте стеклярус! Обязательно порежете леску. В остальных рядах леска проходит почти прямо и можно использовать стеклярус.

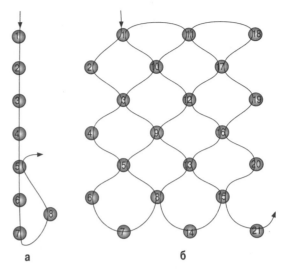

Рис. 41. Полотно мозаика на нечетном количестве бисерин

РАСШИРЕНИЕ МОЗАИЧНОГО ПОЛОТНА
(в длину; в высоту)

• Расширение мозаичного полотна в длину показано на *рис. 40* и *41*. Ширину полотна вы регулируете количеством набранных бисерин по *рис. 40а* и *41а*.

• Расширение мозаичного полотна в высоту (ширину) показано на *рис. 42*.

В процессе роста ширины полотна у нас появляются «свободные» бисерины № 22, 34, 48 и т.д., через которые леска прошла только один раз. Это должны быть именно бисерины,

I – увеличение на четыре горизонтальных ряда бисерин.
II – увеличение еще на шесть горизонтальных рядов бисерин.

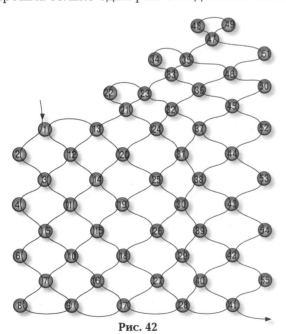

Рис. 42

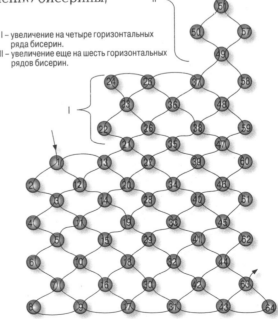

Рис. 43

даже если все полотно из стекляруса. Их можно взять другого цвета или размера, тогда они станут украшением полотна.

По *рис. 42* ширина полотна увеличивается на 1 бисерину на каждых двух вертикальных рядах.

Если вам нужно более оперативное увеличение ширины полотна, работайте по *рис. 43*. Бисерины № 22, 24, 50, 52, 54 — «свободные».

Бисерины № 25, 37, 55 и другие — торцевые (видны отверстия).

По *рис. 43* можно достичь ступенчатости площадки.

СУЖЕНИЕ МОЗАИЧНОГО ПОЛОТНА

Рис. 44

Изначально выбранную ширину мозаичного полотна можно менять.

На *рис. 44* дано ступенчатое уменьшение ширины полотна. Бисерины № 18, 31 и 40 являются началом новой ширины. Вы можете остановиться на любой из них и ориентироваться на нужную ширину полотна.

Полотно начинается четным количеством бисерин — восемь. Одна его торцевая сторона ровная. Другая ступенчатая, но в самих «ступеньках» бисерины края плотно прижаты, через них леска проходит дважды; свободными остаются только «угловые» бисерины № 17, 30 и 39, где леска проходит один раз. Ширина полотна уменьшается с каждой «ступенькой» на 2 горизонтальных ряда бисерин.

На *рис. 45* полотно начинается с нечетного количества бисерин в ширине полотна, с девяти.

Ширина полотна также уменьшается ступенчато, но на краю «ступеньки» бисерин, через которые проходит леска один раз, больше.

При желании «ступеньки» можно соединить, проложив дополнительные бисерины.

На *рис. 46* ширина полотна также начинается с девяти бисерин, но мы быстрее уменьшаем начальную ширину тем, что набираем не «ступеньки», а как бы петельки из бисера. Тут уже в каждой петле по 2 свободные бисерины, через которые леска прошла один раз.

Если проложите дополнительные бисерины дополнительной линией лески, то «кудрявость» петель сгладится, так как через свободные бисерины леска пройдет второй раз.

Потеря ширины очень быстрая — 9, 7, 5, 3, 2 ряда по горизонтали — за шесть шагов по вертикали. Практически получаем половину угла.

На *рис. 47* мы систематически меняем ширину полотна. С 9 горизонтальных рядов мы переходим на 3, затем снова на 9, затем снова на 3, и т.д.

Если в бисеринах № 7, 5, 21, 23, 37, 39 иглу завести не снизу бисерин, а сверху, то получится плетение «крестиком».

ВНИМАНИЕ! Тогда надо на этих номерах использовать не стеклярус.

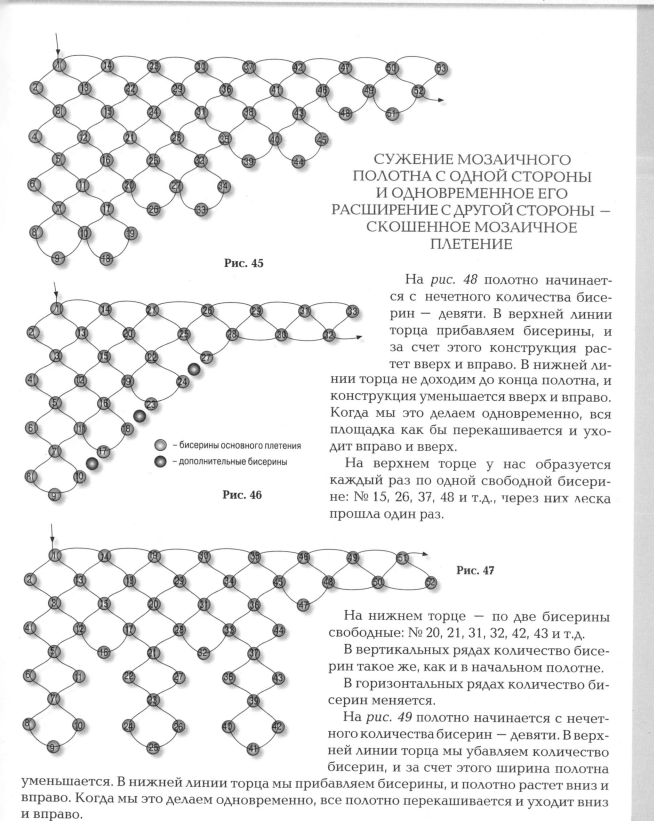

Рис. 45

Рис. 46

– бисерины основного плетения
– дополнительные бисерины

Рис. 47

СУЖЕНИЕ МОЗАИЧНОГО ПОЛОТНА С ОДНОЙ СТОРОНЫ И ОДНОВРЕМЕННОЕ ЕГО РАСШИРЕНИЕ С ДРУГОЙ СТОРОНЫ — СКОШЕННОЕ МОЗАИЧНОЕ ПЛЕТЕНИЕ

На *рис. 48* полотно начинается с нечетного количества бисерин — девяти. В верхней линии торца прибавляем бисерины, и за счет этого конструкция растет вверх и вправо. В нижней линии торца не доходим до конца полотна, и конструкция уменьшается вверх и вправо. Когда мы это делаем одновременно, вся площадка как бы перекашивается и уходит вправо и вверх.

На верхнем торце у нас образуется каждый раз по одной свободной бисерине: № 15, 26, 37, 48 и т.д., через них леска прошла один раз.

На нижнем торце — по две бисерины свободные: № 20, 21, 31, 32, 42, 43 и т.д.

В вертикальных рядах количество бисерин такое же, как и в начальном полотне.

В горизонтальных рядах количество бисерин меняется.

На *рис. 49* полотно начинается с нечетного количества бисерин — девяти. В верхней линии торца мы убавляем количество бисерин, и за счет этого ширина полотна уменьшается. В нижней линии торца мы прибавляем бисерины, и полотно растет вниз и вправо. Когда мы это делаем одновременно, все полотно перекашивается и уходит вниз и вправо.

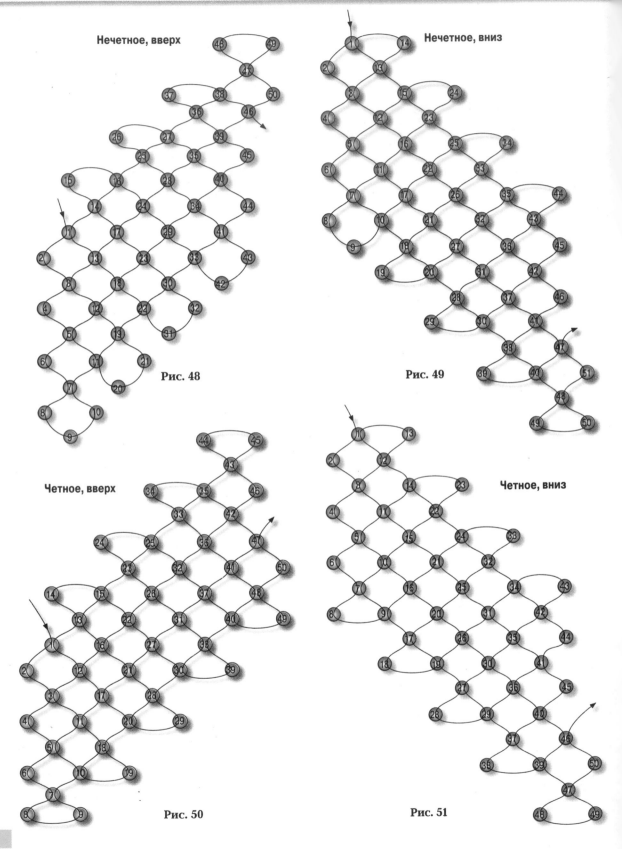

Нечетное, вверх

Рис. 48

Нечетное, вниз

Рис. 49

Четное, вверх

Рис. 50

Четное, вниз

Рис. 51

На верхнем торце у нас образуются свободные бисерины № 14, 24, 34, 44 и т.д., через них леска прошла один раз.

На нижнем торце также образовалось по одной свободной бисерине при каждом шаге увеличения полотна. Это № 9, 19, 29, 39, 49.

На *рис. 50* полотно начинается с четного количества бисерин — восьми. Верхний торец, получая дополнительные бисерины, растет вверх и вправо. Снизу не доходите до конца полотна. Линия торца уходит вверх и вправо.

С каждым шагом у нас с обоих торцов появляется по одной свободной бисерине, через которые леска прошла один раз.

На *рис. 51* полотно начинается с четного количества бисерин — восьми. Не доходя до верхнего торца, мы уменьшаем ширину полотна. Набирая дополнительные бисерины на нижнем торце, увеличиваем ширину полотна. Делая это одновременно, «уводим» полотно вниз и вправо.

Изменяя направление полотна, мы как бы «кроим» фигурные площадки. Это могут быть детали цветка, геометрические формы, полосы с углами поворота.

ВЫШИВКА ПО МОЗАИЧНОМУ ПОЛОТНУ
(бисером, бусами, стеклярусом, пуговицами, стразами)

Мозаичное полотно тоньше и легче полотна ручного ткачества. Закрепили на нем тяжелый страз или пуговку — и полотно обвиснет, потеряет свою красоту и воздушность.

Вышивать стеклярусом любое полотно — опасно. Леска обязательно перережется, а если работать нитью, то ее будет видно.

Подойдет вариант, если вы станете начинать и заканчивать стежок бисеринами, а между ними наберете стеклярус, но эта конструкция окажется тяжелой по весу.

Вышивать по стеклярусному мозаичному полотну не стоит. В изделии «Цветущая Индия» вы увидите, как выглядит «расшитое» стеклярусом мозаичное полотно. Поверх него положена готовая цепочка — цветочки из бус, бисера и стекляруса и закреплена за бисерные торцы полотна.

ОКАНТОВКА МОЗАИЧНОГО ПОЛОТНА
(бисерной линией, ажурной лентой из бисера, стекляруса
и бус, «кудрявые края», «веточки»)

• Торцы мозаичного полотна заканчиваются бисеринами, отверстия в которых «смотрят» наружу, бисерины «стоят» на торце изделия в один ряд. Эти отверстия желательно прикрыть, их наличие может выдать ваш непрофессионализм. «Закрепившись» за «стоячие» бисерины, расположите на них «лежачие», и тогда не будет видно отверстий *(рис. 52)*.

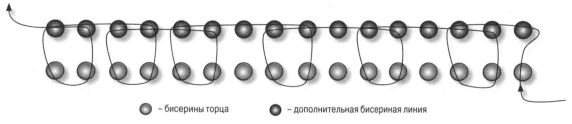

● – бисерины торца ⬤ – дополнительная бисериная линия

Рис. 52

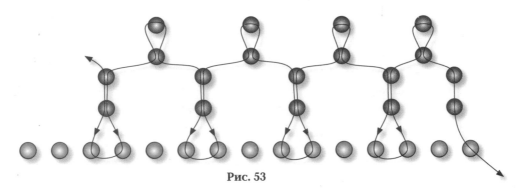

Рис. 53

Отверстия в дополнительных бисеринах лягут горизонтально и закроют отверстия в бисеринах торца.

Закрепите дополнительную бисерную линию, и еще раз через нее проведите леску, укрепив этим край полотна.

Бисерная линия может нести дополнительное художественное решение по цвету и форме бисерин.

• Набрав дополнительную бисерную линию, можно на этом не останавливаться, а уже на ней собрать украшающую полоску или расшить бусами.

Ажурная лента может крепиться не обязательно за дополнительную бисерную линию. Ее крепление возможно прямо за бисерный торец мозаичного полотна. Рассмотрите *рис. 53,* чтобы понять, как это сделать.

• Если вы возьмете за основу ажурной отделки края полотна схемы, отображенные на *рис. 7* или *рис. 53,* но шаг плетения сделаете меньше, то соберете «кудри» по краю полотна. Удлинив элемент К по *рис. 7,* вы получите «веточки». Их можно сделать в виде листочков, цветов, добавить бусин, пайеток (блесток) и т.д. Этот ход удачен при изготовлении ремня, колье-стойки, браслета.

ПЕРЕХОД НА ЗАСТЕЖКУ С ЛЮБОГО ВИДА БИСЕРНОГО ПОЛОТНА

Бисерное полотно любого способа изготовления может иметь всевозможную ширину. Застежка подбирается с соответствующим количеством отверстий для крепления. К каждому из отверстий надо подвести бисерную линию. Если бисерных линий много, то перед застежкой их можно сгруппировать, собрав цветочек из бусин.

В колье «Первоцветы», «Мой крест», «Малахитовое», «Русское» вы наглядно увидите, как с одной ширины (от колье) на другую ширину (застежку) надо мягко перейти бисерными линиями, чтобы они не топорщились на шее. Внутренняя длина бисерного набора должна быть меньше, чем внешнего.

ЖГУТЫ

Бисерная конструкция в виде полой трубки называется жгутом.

Существует множество способов плетения жгута. Остановимся на самых интересных из них — спиралевидных. Спиралевидные жгуты имеют не порядовую, а движущуюся по спирали сборку. Принцип их построения одинаковый, несмотря на непохожесть внешнего вида.

Жгут — это начальное замкнутое бисерное кольцо, как центр у ромашки, а вокруг него — лепестки-петли, закрепленные за центральное кольцо.

Наша задача — решить, какой диаметр жгута нам нужен, от этого зависит, на сколько лепестков его надо собирать, а следовательно, какой диаметр нужен первоначальному кольцу А.

Рассмотрим типовую схему жгута на *рис. 54*. Мы видим кольцо А. Нужное нам количество бисерин замкнуто тройным узлом в кольцо. Оставлен конец лески 20 — 25 см для будущего пришивания застежки.

В нашем примере набрано три лепестка. Петли закреплены на бисеринах кольца А. Предполагается, что между бисеринами крепления лепестков есть еще по 1 — 2 бисерины. Рекомендуется ставить 2 бисерины. Между первым и последним лепестками (в предлагаемом образце — между первым и третьим) можно ставить 1 — 3 бисерины. В образце в кольце А имеем: 3(бис.) x 3 + 2(бис.) = 11 (бис.), то есть А = 11. Завяжите 11 бисерин в кольцо, сделав тройной узел. Пройдите по кольцу А трижды рабочей леской. Завяжите на оси между бисеринами 2 — 3 узла.

Переходим к линиям лепестков.

Четвертый лепесток на типовой схеме начинается, как и предыдущие три, от кольца А, а заканчивается на вершине лепестка № 1. Следуйте по вершинам близлежащих лепестков, при этом создавая новые лепестки, т.е. производите бисерные наборы по задуманной для конкретного жгута схеме *(рис. 55)*.

Плетение можно вести «на себя» и «от себя». От этого зависит направление линий спирали: по часовой стрелке или против нее. Например, если надо в центре жгута «развести» спирали в противоположных направлениях, то надо плести первую половину жгута «на себя»; а вторую — «от себя».

Если вам нужен большой диаметр жгута, лепестков набирайте больше. Если маленький, то сделайте 2 лепестка. В книге использованы жгуты на 2, 3, 4 и 5 лепестков. Набираются лепестки по-разному, поэтому жгуты не похожи друг на друга.

Длина жгута берется произвольная. При этом необходимо учесть, что застежка пришивается к специальной объемной бисерной конструкции *(см. рис. 56.)*, назовем ее «Эйфелева башня».

«Эйфелева башня» набирается от жгута к застежке. На «ножках» делается по три бисерины, «под пальцы» идут 5 — 10 бисерин. Учтите, что «Эйфелева башня» удлиняет жгут.

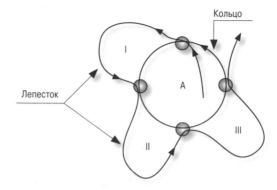

Рис. 54

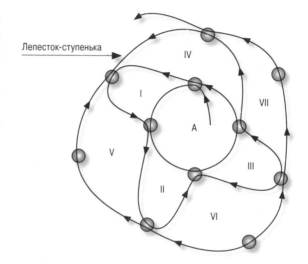

Рис. 55

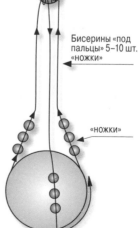

Рис. 56. «Эйфелева башня»

Когда вы решите, что сплели жгут достаточной длины, перейдите к завершающему кольцу А", в котором должно быть столько бисерин, что и в начале жгута в кольце А. В нашем примере А"=11. Пройдите по нему 2—3 раза рабочей леской, тем самым укрепив. Завяжите 2—3 узла на оси между бисеринами. Соберите «Эйфелеву башню», пришив вторую половинку застежки. Жгут готов.

ВЫШИВКА ЖГУТОВ: ПЕТЛИ, ВЕТОЧКИ, ВЫШИВКА-ПЛЕТЕНКА, ТОЧКИ БУС, ДОПОЛНИТЕЛЬНЫЕ КОНСТРУКЦИИ ВМЕСТО БИСЕРИНЫ НА ВЕРШИНЕ
(петля, кольцо, вышитое кольцо — один ряд вышивки, два ряда вышивки)

После того как жгут полностью собран, его можно еще и вышить. Способов вышивки жгутов — множество. Желание украсить жгут, добавить в его вид новые черты, может возникнуть по причине его несоответствия цветовой гамме подвески. Объединить их в единый гарнитур можно следующим образом. По жгуту либо вышивается художественная линия нужного цвета, либо гармонично «разбрасываются» бисеринки того же цвета.

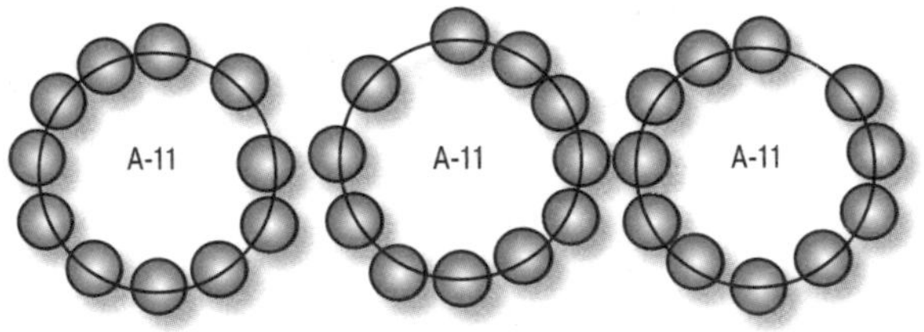

Вышивка бывает выпуклой, как петлевая в жгутах «Клевер» и «Золотые розочки», может иметь разный размер и формы петель и линий. Возможно «распустить» веточки от жгута, сделать вышивку-плетенку по *рис. 5* или *рис. 6*.

Бисерину-зацепку на вершине можно заменить на дополнительную конструкцию — петли, кольца, которые в процессе изготовления жгута украшаются вышивкой-плетенкой, состоящей из одного ряда бисера или даже двух.

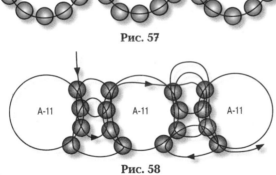

Рис. 57

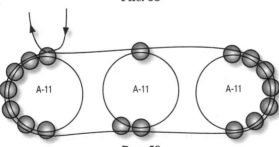

Рис. 58

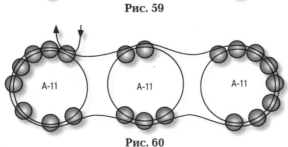

Рис. 59

Рис. 60

СШИВАНИЕ ЖГУТОВ. ОБЩИЙ НОВЫЙ ЖГУТ

Разные, да и одинаковые модели жгутов можно сшить между собой и «развести» линиями-«дорогами», как в колье «Роза», или собрать из них косу. В таком случае на изготовление застежки переходят со жгута общего диаметра. Из трех диаметров «конструируем» один *(рис. 57.)*

В нашем примере — три жгута по 11 бисерин в кольцах. Эти жгуты рискнем сшить. В сумме три кольца дают 33 бисерины *(рис. 58)*.

Надо решить, на сколько бисерин должно быть кольцо в объединяющем жгуте.

Жгут может иметь 17 бисерин в кольце *(рис. 59)*. С боков сшито по 4 бисерины, или 21 бисерина, если на сшивания с боков жгутов взято по 3 бисерины.

Если крепить лепестки жгута не через 2 бисерины, как обычно, а через 1, то диаметр увеличится, а если через 3 бисерины, то уменьшится (см. схемы на *рис. 60)*.

ЛЕКАЛО ДЛЯ КОНСТРУИРОВАНИЯ КОЛЬЕ

Как избежать ошибок в проекте? Вам предлагается лекало для конструирования плоскости колье, его «площадки».

Лекало состоит из двух самостоятельных деталей. У каждой из них по три отверстия. Детали надо наложить друг на друга *(рис. 61)*, а центральные отверстия № 1 соединить шурупом с гайкой.

В верхние отверстия № 2 и 3 втяните по куску шнурка, на концах которых закрепите детали застежки.

Шнурки закрепите, чтобы длина могла регулироваться.

Вырежьте лекало из картона или пластмассы. Поставьте шуруп с гайкой в отверстие № 1. Привяжите шнурки с застежками на концах.

Приложите эту конструкцию к груди, как колье. Определите нужную длину (шнурков). Застегните застежку. Шурупом отрегулируйте лопасти лекала, чтобы оно «лежало».

Теперь снимите лекало, кладите на бумагу, обведите его контур карандашом. Укажите на эскизе длину шнурков и места их крепления.

Вот вы и получили площадку, в пределах которой планируйте колье. Ведь очень важно определить внутренний периметр колье и длину от центральной его оси до застежки.

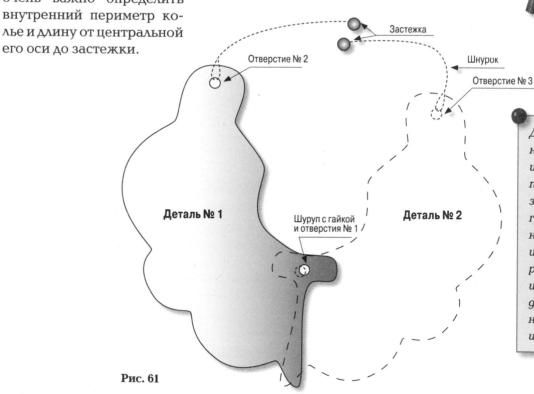

Застежка

Шнурок

Отверстие № 2

Отверстие № 3

Деталь № 1

Шуруп с гайкой и отверстия № 1

Деталь № 2

Рис. 61

Для протягивания иглы можно использовать плоскогубцы. Иглу зажмите плоскогубцами и аккуратным движением из стороны в сторону вытяните ее из бисеринки. Все делайте осторожно, иначе сломаете иглу или бисеринку.

СОВЕТЫ

● *Лучше работать тонкой леской, но в два сложения.*

● *Узлы на леске делайте рядом, а не друг на друге. Иначе узел не пройдет через отверстие бисерины. Если узел сделан слабо, то он поползет, но упрется во второй узел и остановится. При этом толщина узла не увеличится.*

● *Не экономьте леску! Оставляйте концы 15—20 см, чтобы можно было легко подвязать следующий кусок лески с иглой.*

● *Не делайте длинную леску! Обязательно запутаетесь. Учитесь делать хорошие узлы и почаще подвязывайте новые куски лески.*

● *Если надо удлинить леску, то сначала остатком лески сделайте узел на оси набора (на леске), а затем обрежьте леску у основания иглы. Ваша бисерная конструкция не расползется, пока вы привязываете новую длину лески.*

● *Используя стеклярус, помните, что он режет леску на перегибах. Поэтому стеклярусный ряд начинайте и заканчивайте «мягкой» бисериной, например в вышивке-плетенке.*

● *Для накалывания деталей на пенопласт пользуйтесь только иглами с пластиковыми ушками! Иглы с металлической петелькой могут порвать леску. Не пользуйтесь ржавыми иглами.*

● *Следите, чтобы пенопласт для накалывания деталей был сухой и его ширина была больше длины игл, чтобы не царапать стол и не травмироваться.*

● *Если будете сшивать детали в руках, а не на пенопласте, то рискуете получить полотно изделия с прогибами и провалами.*

● *Важно, чтобы в цепочке «колечки» было нечетное количество бисерин в элементе А.*

● *Когда в цепочке «колечки» более 3 бисерин в элементе В и 5 бисерин в элементе А, она получается слишком декоративной и броской. Идеальный вариант: 3 x 5 бисерин, хороший — 3 x 3 бисерины, особенно если вышивка-плетенка исполнена с обеих сторон по одной диагонали с каждой.*

● *Элемент В в цепочке «колечки» сам может быть хорошим художественным решением по форме, цвету, материалу.*

● *Колье должно зарождаться «на кончике карандаша», распланируйте на бумаге свою идею, «материализуйте» ее, раскрасьте, посчитайте ее размеры, прикиньте, сколько приблизительно надо материала и какого. И потом приступайте к изготовлению. Нужны план и чертежи, как и при каждом серьезном деле. При этом, конечно, возможны изменения по ходу дела.*

● *Не бойтесь менять схемы! Вносите свои коррективы. Изменения могут быть продиктованы и вашими фантазиями, и разницей в материалах, и в технике исполнения. Изделие должно быть только вашим, нести отпечаток индивидуального стиля, несмотря на использование типовой схемы.*

Модели
украшений

КОЛЬЕ
•КЛЕВЕР•

ЖГУТ, ПОДВЕСКА

- Соберите жгут по схеме на *рис. 62.* Образец сделан длиной 40 см. Не забудьте оставить конец лески длиной 20 см для бисерного набора и пришивания замочка.
- Соберите бисерное кольцо в конце жгута так же, как и в начале.
- Соберите переходной конус «Эйфелева башня» по рис. 56.
- Сделайте набор бисера и бус длиной 5—8 см.
- Пришейте замочек.
- Вернитесь по бисерному набору к жгуту. По пути завяжите 2—3 узла на оси лески.

	Материалы для жгута колье «Клевер»
▭	Зеленый стеклярус
●	Розовая бисерина
●	Зеленая бисерина
✿	Зеленые пайетки в виде цветка
●	Розовые стразы
●	Розовые пайетки

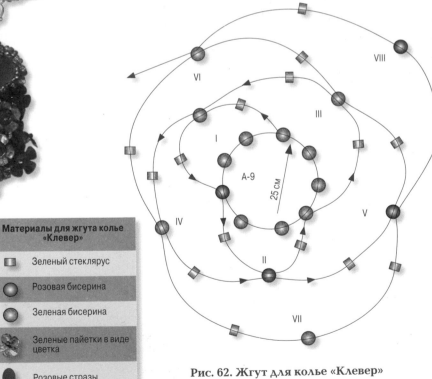

Рис. 62. Жгут для колье «Клевер»

- Сделайте вышивку жгута по розовым бисеринам, заложенным в схеме жгута по *рис. 63.*
- Наберите 3 розовые бисерины и войдите в бисерину основания, из которой только что вышли. Выйдите из нее. Наберите 5 розовых бисерин и войдите в ту же бисерину основания. Выйдете из нее. Наберите 3 розовые бисерины и еще раз войдите в ту же бисерину в основании. У вас получился объемный розовый пучок.
- Пройдите внутри бисерной линии жгута и перейдите к следующей розовой бисерине. Соберите еще один объемный розовый пучок.

Если пропускать по одной розовой бисерине в линии на жгуте и не «расшивать» ее пучком, получается эффект асимметричности.

- Закончив вышивку жгута, переходите к другому концу и сделайте переходную «Эйфелеву башню» по *рис. 56*
- Наберите линию из бисера и бус.
- Пришейте замочек.
- Вернитесь по линии из бисера и бус и по пути завяжите 2 — 3 узла на оси лески.
- Обрежьте леску с иголкой.

Жгут для колье «Клевер» готов.

- Подвеску для колье «Клевер» мы начнем с изготовления бисерной площадки из зеленого зеркального бисера.

Начните от центрального ряда на 54 бисеринах.

Вправо и влево соберите по 13 рядов, уменьшая каждый на две бисерины, т.е. по одной с каждой стороны ряда. В крайних рядах будет по тридцать бисерин. Для работы используйте *рис.12, 13, 14.*

- В результате получите удлиненный шестигранник. В его углах пришейте розовые стразы 20 х15 мм, входя иглой в полученное полотно между бисеринками. Старайтесь не рвать леску в основе полотна.
- По *рис. 21* расшейте стразы бисерным «стаканчиком» из розового зеркального бисера с зелеными «верхушками».
- Сверху эти арочки украсьте вышивкой по *рис. 24.*
- В центре бисерной площадки соберите «звездочку» из блесток и бисера (это такие линии, у которых закреплены только их начало и конец, а центр приподнят дугой).
- Поставьте коротенькие «веточки» с цветочком из зеленой пайетки, где сверху еще розовая блесточка и зеленая бисеринка-пробка для всей «веточки».
- Сделайте пару «веток» подлиннее, с боковыми «отростками», с такими же цветочками на их концах.
- Пришейте детали замочка.

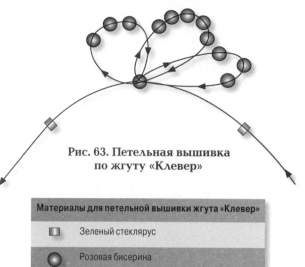

Рис. 63. Петельная вышивка по жгуту «Клевер»

Материалы для петельной вышивки жгута «Клевер»	
Зеленый стеклярус	
Розовая бисерина	

При работе с бисером в случае, когда ваше изделие требует использования сразу нескольких цветов, рекомендуется насыпать разный бисер в плоские емкости. Это облегчит и ускорит процесс работы над украшением, а вы не будете раздражаться, отвлекаясь на поиски нужного цвета.

КОЛЬЕ
•НЕЖНОЕ•

Материалы для колье «Нежное»	
	Бусина
	Серебристая бисерина

- Подготовьте замочек.
- Наберите 6 серебристых бисерин «под пальцы».
- К оставленному второму концу лески в 2 сложения привяжите двумя узлами леску от второй иглы. Растяните концы лески, чтобы узлы встали рядом. Пройдите второй иглой внутри 6 бисерин «под пальцы».
- Соберите плоский переходник-треугольник по схеме на *рис. 2.*
- Соберите 8 см цепочки «крестики» по схеме на *рис. 8* или *рис. 9.*
- Дальше работайте двумя иглами по схеме на *рис.11*, все время увеличивая бусины и меняя их цвет в цветочках.
- Можно сразу собрать «веточки» из бисера и бус либо приступить к этому после изготовления цветочков (*рис. 11).*
- Вышивайте цветочек бусинками и бисеринками-ножками. *(рис. 64).*
- В «веточках» меняйте цвет, количество и размер бусин. Постоянным остается количество бисерин между бусинами — 3 и количество бисерин в начале «веточки» — 10.

- Цветочки соединены между собой бисерными линиями. На них по внешнему периметру набраны «веточки». По внутреннему периметру на бисерных линиях идут петельки из 4 бисерин. Их не надо специально изготавливать. Они образуются во время сбора цветочков и перехода от одного к другому. Посмотрите схемы на *рис. 11* или *рис. 64*.
- Соберите цепочки «крестики», не забыв о переходном треугольнике (схема на *рис. 2*). Посчитайте, чтобы количество «крестиков» совпадало с уже готовой цепочкой.
- От цепочки «крестики» сделайте переход к 6 бисеринам «под пальцы».
- Пришейте застежку.
- Уйдите назад по бисерному набору, сделав по пути 2—3 узла на оси между бисеринами.
- Обрежьте леску.

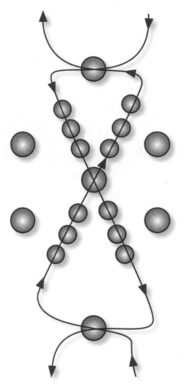

Рис. 64. Вышивка цветочков бисером и бусиной

Для работы с бисером некоторые специалисты рекомендуют применять швейные нитки серии «Ideal». Преимущество их заключается в хорошей упругости и одинаковой толщине по всей длине, а также в отсутствии способности к образованию случайных узелков.

Толстые нити, естественно, гораздо прочнее тонких. Они хорошо держат форму, потому что достаточно упруги. Бисер на них лежит ровно. Хотя бывают ситуации, когда нужно, чтобы нить не была заметна в изделии. В таком случае стоит обратить внимание на выбор тонкой прочной нити. Ее преимущество будет еще и в том, что она легче пройдет сквозь узкое отверстие мелкого бисера.

КОЛЬЕ-СТОЙКА
•ЦВЕТУЩАЯ ИНДИЯ•

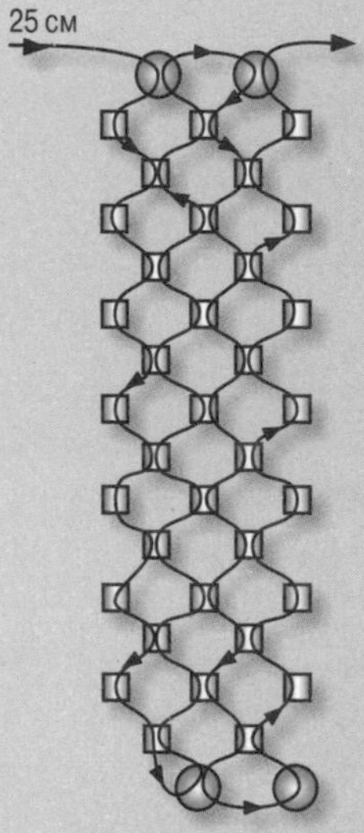

Рис. 65

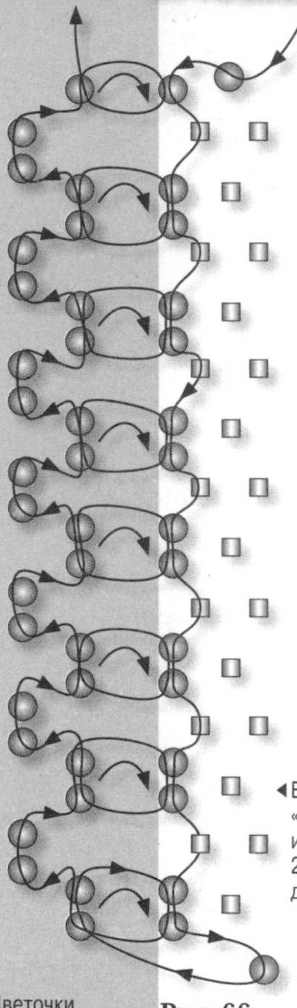

25 см

Рис. 68

Цветочки

Рис. 66

Рис. 67

◄ Выравнивание зубчиков «мозаики» бисеринами и пришивание к ним еще 2-х рядов бисера методом ручного ткачества

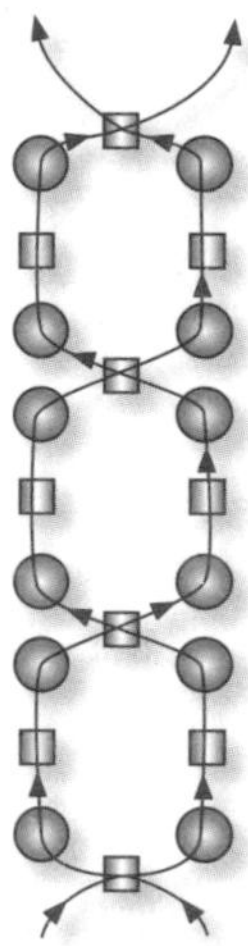

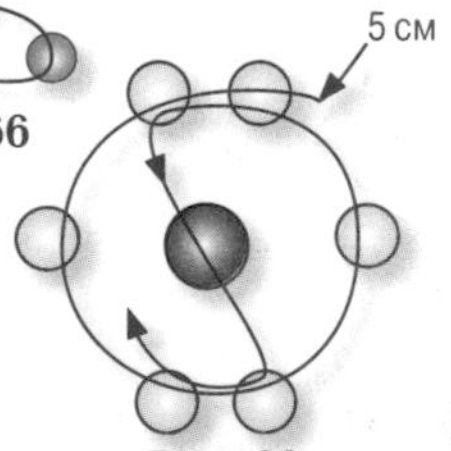

5 см

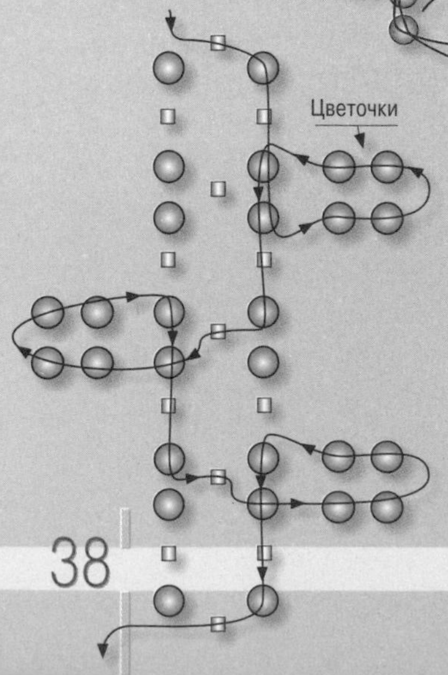

Рис. 69

○	Серебристая бисерина
○	Белая бусина 5 мм
●	Белая бусина 7 мм

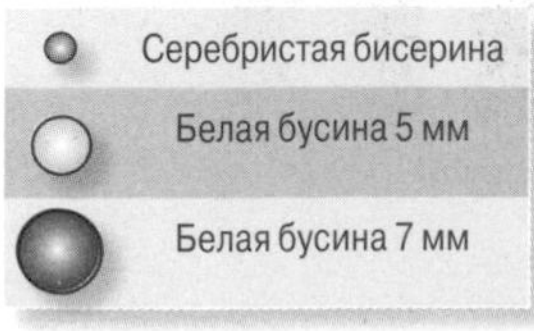

- Методом «мозаика» соберите полосу из красного перламутрового стекляруса длиной 36 см и шириной 3,5 см по схеме на *рис. 65*.
- Выровните ширину полосы. Для этого проложите по 2 красные бисерины между зубчиками «мозаики». Добавьте еще 2 бисерных ряда, ориентируясь на схему на *рис. 66*.
- Отдельно соберите цепочку по схеме на *рис. 67* двумя иглами. Надо собрать 26 колец из золотистого стекляруса и белых бусин диаметром 4 мм.
- Одну иглу закрепите узлом на углу цепочки и пока оставьте.
- Второй иглой соберите цветочки из бус по схеме на *рис. 68* по очереди то с одной, то с другой стороны цепочки.
- Сразу же в кольцах-цветочках из 6 бусин положите в центре белую бусину диаметром 5 мм по схеме на *рис. 69* и вышейте золотистым бисером обтяжку по схеме на *рис. 70*.
- Свободными бисерными золотистыми линиями пришейте цепочку к красной стеклярусной ленте в местах с красным бисером.
- С другой стороны колье сшейте эти две ленты специально оставленной для этой цели иглой.
- Золотистыми бисерными линиями «подойдите» к широкой застежке на 3 дырочки и пришейте ее к колье. Вторую половинку застежки пришейте так же с другой стороны колье.
- Одну иглу отрежьте. Второй иглой уйдите к красным бисеринам, расположенным по длине красной ленты. Обратите внимание, что отверстия в этих бисеринах расположены вертикально.

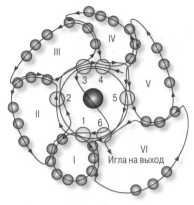

Рис. 70

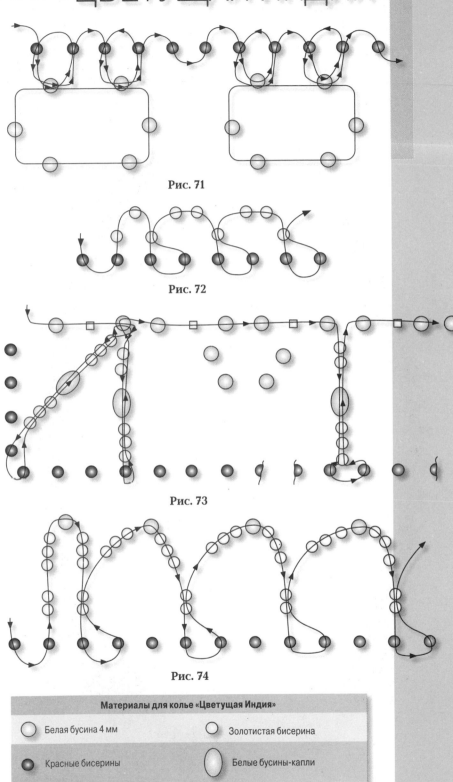

Рис. 71

Рис. 72

Рис. 73

Рис. 74

- Пришейте белые цветочки к красным бисеринам красной мозаичной ленты в основании колье по схеме на *рис. 71.*
- Одновременно набирайте золотистую линию «кружев» по краю красной ленты. Если не будет получаться, сделайте это по очереди: сначала пришейте цветы по схеме на *рис. 70*, затем украсьте край красной ленты золотистым «кружевом» по схеме на *рис. 72.*
- Верх накладной цепочки с цветами пришит по одной стороне, а с другой стороны пришьем эту накладную ленту, воспользовавшись белыми бусами в виде вытянутой капли и золотистыми бисеринками по схеме на *рис. 73.*
- Нижний ряд цветочков можно не пришивать. Если вы захотите их закрепить, то пришивайте их к бисеру, чтобы не испортить стеклярус.
- Сделайте «кружево с бусинкой» по нижнему краю красной ленты по схеме на *рис. 74.*
- Уберите все «усы» и концы лески.

Материалы для колье «Цветущая Индия»	
◯ Белая бусина 4 мм	◯ Золотистая бисерина
● Красные бисерины	⬭ Белые бусины-капли
▢ Золотистый витой граненый стеклярус	

ЖГУТ
•ЗОЛОТЫЕ РОЗОЧКИ•

- По схеме на *рис. 62* соберите жгут 15 см. В работе использован фиолетовый стеклярус длиной L=2 мм, фиолетовый бисер и золотистый бисер для точек на одной линии в плетении жгута для наметки будущей вышивки выпуклых цветочков — розочек.

- Увеличьте диаметр жгута за счет изменения схемы плетения. На местах бисерных точек плетите бисерные колечки по схеме на *рис. 76* и *рис. 81.* Вышивку по колечкам не делайте. Там, где по схеме на *рис. 62* были фиолетовые точки, соберите фиолетовые колечки из 6 бисерин. Там, где были золотистые бисерные точки, нужны колечки из 6 золотистых бисерин. Так плетите 13 см жгута.

- Переходите к плетению 15 см жгута по схеме на *рис. 63.*

- Соберите объемный конус «Эйфелева башня» из золотистого бисера по схеме на *рис. 56.*

- Наберите 10 золотистых бисерин «под пальцы», чтобы было удобно застегивать жгут.

- Пришейте застежку.

- Вернитесь назад по бисерному набору до начала жгута, сделав по пути 2—3 узла на оси.

- Начинайте вышивку жгута. Первые 15 см вышивайте золотистым бисером по схеме на *рис. 63* по золотистым бисеринам основания.

- Далее 13 см в центре жгута вышивайте по новой схеме на *рис. 75* — получатся золотистые розочки. В центре цветочков ставим по одной фиолетовой бисерине.
- Переходите к вышивке последних 15 см жгута петлями-пучками по схеме на *рис. 63.*
- Соберите переходный конус «Эйфелева башня» из золотистого бисера по схеме на *рис. 56.*

- Сделайте бисерный набор «под пальцы» из 10 золотистых бисерин.
- Пришейте замочек.
- Вернитесь назад по бисерному набору, сделав по пути 2 — 3 узла на оси.
- Отрежьте леску.
- Оставленную ранее леску с иглой спрячьте внутри бисерного набора, закрепите узлами и отрежьте.

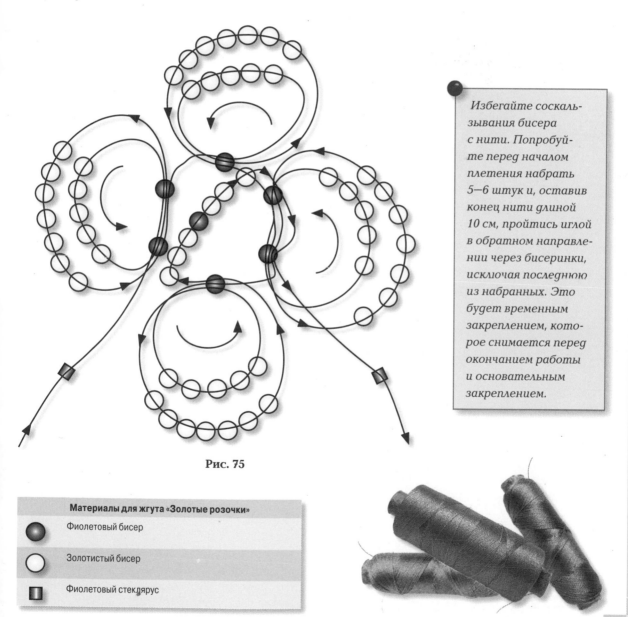

Рис. 75

Избегайте соскальзывания бисера с нити. Попробуйте перед началом плетения набрать 5—6 штук и, оставив конец нити длиной 10 см, пройтись иглой в обратном направлении через бисеринки, исключая последнюю из набранных. Это будет временным закреплением, которое снимается перед окончанием работы и основательным закреплением.

Материалы для жгута «Золотые розочки»
Фиолетовый бисер
Золотистый бисер
Фиолетовый стеклярус

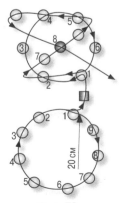

КОЛЬЕ
•ПЕРВАЯ ЛЮБОВЬ•

ЖГУТ С ПОДВЕСКОЙ

- По схеме на *рис. 76* наберите 9 бисерин и замкните тройным узлом их в кольцо, оставив при этом свободный конец лески длиной 15 — 25 см.
- Наберите 1 стеклярус голубой и 6 белых бисерин. Пройдите иглой через 1-ю и 2-ю бисерины этого набора и получите второе кольцо. Чтобы оно не расползалось, можно завязать узел на оси между 2-й и 3-й бисеринами.
- Наберите 1 белую, 1 голубую и 1 белую бисерины и войдите в 5-ю и 4-ю бисерины этого кольца (далее будем называть его «цветочек»). Выйдите из 4-й бисерины. Часть вышивки цветочка готова, *рис. 77*.
- Наберите одну белую бисерину и войдите в центральную голубую бисерину в вышивке цветочка. Выйдите (*рис. 78*).
- Наберите 1 белую бисерину № 11, войдите в белые бисерины № 1 и № 2. Выйдите. Цветок полностью готов, *рис. 79*.
- На свободную иглу наберите голубой стеклярус и войдите в третью бисерину в кольце А-9 основания. Выйдите. Получился первый лепесток жгута, который выглядит, как цветочек на «ножках», *рис. 80*.
- Теперь по *рис. 76, 77, 78, 79, 80* сделайте второй лепесток жгута, только иглу с завершающим лепесток стеклярусом введите в бисерину № 6 в кольце А-9 *(рис. 81)*.
- По схеме на *рис. 81* наберите третий и все последующие лепестки. Бисерный набор будет постоянным: 1стеклярус + 6 белых бисерин в кольцо. Вышивка по этому кольцу.
- Наберите 1 стеклярус, введите иглу в «верхушку» имеющихся цветков в основании (бисерины № 5 и № 4 на *рис. 81*).
- Наберите нужную длину жгута (в образце она равна 39 см).
- В конце жгута соберите кольцо (А"-9) = (А-9), как и в его начале. Для этого проложите между цветочками по 1 бисерине и учтите «верхушечные» бисерины, вот и по-

Цветочек

В

А-9

20 см

Кольцо основания

Рис. 76

Материалы для колье «Первая любовь»

⬤	Голубой бисер
◯	Белый бисер
▣	Голубой стеклярус L = 2–3 мм

А-9

20 см

Рис. 77

А-9

20 см

Рис. 78

лучите кольцо на 9 бисерин. Замкните кольцо узлом на оси.

• На этом кольце соберите объемный переходник «Эйфелева башня» по *рис. 56* с обеих сторон жгута.

• Добавьте набор из бисера и голубых бус с каждой стороны жгута, идущих к застежке.

• Пришейте замочек с обеих сторон. Уйдите по бисерному набору, сделав 2—3 узла на оси.

• Обрежьте иглу и «усы» от лески.

• Соберите площадку в форме сердечка. На *рис. 31* и *рис. 32* даны его размер и порядовое количество бисерин. Работайте голубым перламутровым бисером.

• Приступите к украшению сердечка.

• Если вы хотите нашить на площадку подснежник, нужна следующая работа.

Цветок подснежника соберите из синего бисера. Изготовьте три площадки способом ручного ткачества по формуле $[3 \times 3 + 5 \times 3 + 7 \times 5 + 5 \times 2 + 3 \times 2]$.

Частично сшейте площадки цветка. Обведите их бисерными линиями по *рис. 16*, чтобы убрать «ступенчатость». В центре цветка наберите «пестик», состоящий из белой большой бисерины и петельки из четырех голубых бисерин.

Для стебелька подснежника соберите жгут из зеленого бисера на кольце А-3, тогда в лепестке берите по одной бисерине. Нужна длина не более 6 см.

Теперь соберите листик подснежника. Начните с трех бисерин, постепенно увеличивая количество до 7, затем снова уменьшите до трех. И все это на длине листа примерно 10 см. Обтяните лист бисерной линией, сгладив его «ступенчатость».

Соедините вместе три детали подснежника и кое-где пришейте его к площадке-сердечку.

• Местами пришейте маленькие «веточки», изображающие ростки цветов. Они состоят из большой бисерины белого или голубого цвета и бисерин-пробок зеленого или синего цвета.

• Над плоскостью большой площадки-сердечка проложите линию большого бисера голубого и белого цветов. Пришейте детали застежки.

• Добавьте «веточки» из стекляруса и бисера снизу сердечка.

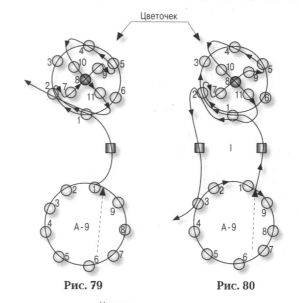

Рис. 79   Рис. 80

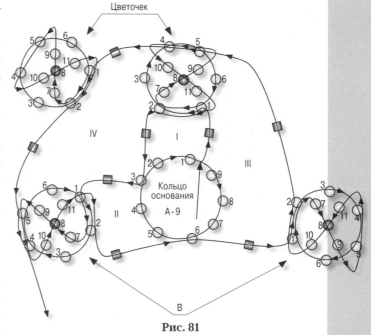

Рис. 81

КОЛЬЕ
•ЛАНДЫШ СЕРЕБРИСТЫЙ•

Колье состоит из трех основных деталей: листа ландыша, большой ветки цветов ландыша и бисерной линии под застежку.

Колье можно носить по-разному: когда большая ветка ландышей-бусин находится в центре; как воротник-стойку, когда в центре находится большой лист, а ветка с цветами — на левом плече; когда лист находится сзади на шее, большая ветка ландыша приходится на правое плечо, а спереди по шее проходит тонкая линия бисерного набора с редкими белыми бусинами-цветочками.

Материалы для колье «Ландыш серебристый»	
▯	Зеленый стеклярус
◉	Зеленый бисер
◉	Серебристый бисер

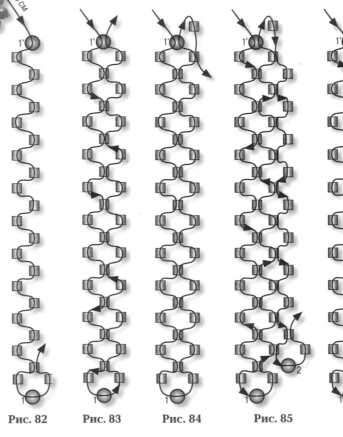

Рис. 82   **Рис. 83**   **Рис. 84**   **Рис. 85**   **Рис. 86**

• По схеме на *рис. 82* изготовьте большой лист ландыша. Соберите его из зеленого зеркального стекляруса, внешние «переходные» точки выполните из серебристого бисера, а внутренние — из зеленого зеркального.

По схемам на *рис. 82, 83, 84, 85, 86, 87* выполните половину листа ландыша, при этом наберите столько рядов «мозаики», чтобы с внешней стороны получилось 28 серебристых бисерных точек. После этого поставьте дополнительные бисерины по схеме на *рис. 88* и приведите иглу с леской в конечную точку этой половины листа. Добавьте еще одну дополнительную зеленую бисерину, остановитесь и завяжите леску узлом на оси. При этом с внутренней стороны листа будет 27 зеленых бисерных точек, а с внешней стороны — 28 серебристых точек бисера.

• На схеме *рис. 82* отмечено, что оставленный конец лески равен 15 см. К нему подвяжите новую леску с иглой и соберите вторую половину листа ландыша по схемам на *рис. 82, 83, 84, 85, 86, 87, 88.*

• Две половинки листа ландыша сшейте у его основания, спрячьте узлы в серединках бисерных линий, а также спрячьте «усы» от лески. Обрежьте одну иглу с леской.

• На оставленную леску с иглой наберите бисерную линию по схеме на *рис. 89.* Это 75 зеленых бисерин. Закрепите эту линию узлом на противоположной стороне за угловую зеленую бисерину. У вас получится центральная линия АВ по схеме на *рис. 89.* Далее наберите линии прожилок по схеме на *рис. 89.* Так вы дойдете до основания листа в точке В. Закрепите узлом леску.

• Приступайте к вышивке цветами-бусинами на коротких «ножках». Начинайте с больших белых бусин, затем переходите к средним, а затем к самым маленьким. В основании, т.е. в центральной линии АВ прожилок листа, пропускайте

Серебристые бисерины.
Собирать лист ландыша, пока не будет по 28 серебристых бисерин (с внешней стороны листа).

Зеленые бисерины.
Собирать лист ландыша, пока не будет по 27 бисерин (с внутренней стороны листа).

Зеленый стеклярус L = 2 мм

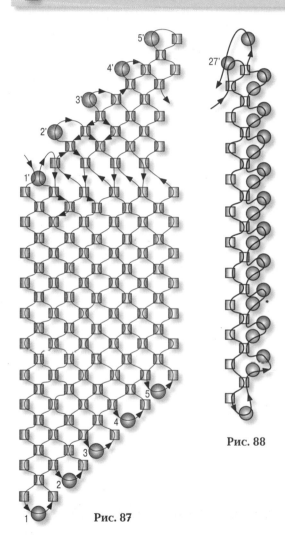

Рис. 88

Рис. 87

Занятие бисероплетением полезно для детей. Оно способствует развитию мелкой моторики рук и высших корковых функций, таких как внимание, память, мышление, воображение, наблюдательность, оптико-пространственное восприятие.

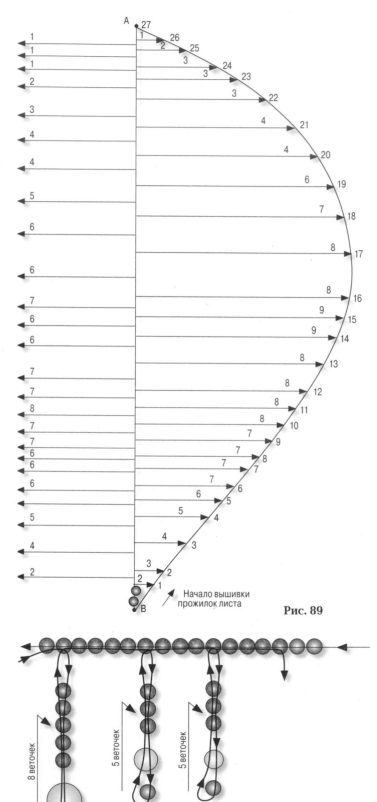

Рис. 89

по 5, а затем по 3 бисерины и собирайте «веточки» по схеме на *рис. 90.*

• Дойдя до конца бисерной линии АВ по схеме на *рис. 89,* выведите из последней бисерины основания иглу; наберите еще 20 зеленых бисерин, войдите в 6-ю серебристую бисерину, считая от верхушки листа ландыша, пришейте эту линию к бисерине.

• На полученной бисерной линии в 20 бисерин соберите еще несколько «веточек» из бусин-цветочков.

• Закрепите леску внутри бисерных линий. Большой лист ландыша с вышивкой прожилок и цветочков-бусин по ним готов.

• Пришейте застежку к большому листу ландыша.

• Приступайте к изготовлению большой ветки ландыша. Возьмите зеленый зеркальный бисер, белые бусины трех размеров: диаметрами 4 мм, 5 мм и 7 мм.

• Наберите 80 бисерин.

• Начиная с самых малых бусин, постройте 4 «веточки» с интервалом между ними в 3 бисерины по схеме на *рис. 91.*

• Удлиняйте и усложняйте «веточки» по мере продвижения к центру главного бисерного набора и в самих «веточках».

Рис. 90

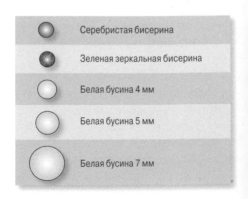

	Серебристая бисерина
	Зеленая зеркальная бисерина
	Белая бусина 4 мм
	Белая бусина 5 мм
	Белая бусина 7 мм

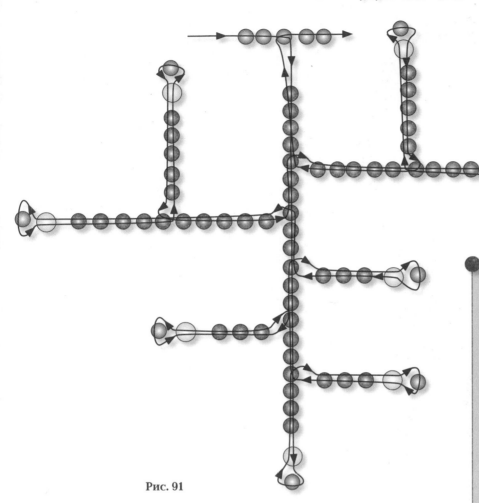

Рис. 91

Замаскировать замочек с отверстием можно следующим образом. На обе иглы наденем по бисеринке. Пропустим их с одной стороны в отверстие замочка. В бусине-связке перекрестим нитки и вставим обратно в последнюю в звене цепочки бисеринку. Повторим действие, продев нити с другой стороны замочка. Теперь пройдемся нитью по бисеринкам с обеих сторон замка и закрепим.

- Соберите 8 рядов «веточек» с бусами среднего размера.
- Соберите 12 рядов с бусами большого размера.
- Пришейте ветку к большому листу ландыша за его серебристые внешние точки.
- Уйдите по главному «стволу» большой ветки, по пути добавляя большие бусины-цветочки на 2-х зеленых бисеринках, а также делая узлы на оси. Этим вы укрепите главную линию колье и больше ее украсите.
- По краям большой ветки должны отходить маленькие «веточки». Когда вы будете пришивать ее, делайте так, чтобы из-под большого листа свисали «веточки» бусин-ландышей. «Уходить» на бисерную линию тоже надо не от края ветки, а не доходя до него, чтобы здесь свисали веточки с самыми маленькими бусами.
- По мере набора зеленой бисерной линии, идущей к застежке, делайте крошечные «веточки» из 2 зеленых бисерин + 1 большой бусины + 1 серебристой бисерины.

КОЛЬЕ
•ИРИС В РОСЕ•

Соберем асимметричное колье, состоящее из нескольких деталей, последовательно изготовленных и сшитых: жгута, цветка ириса, веточки.

• Соберите жгут по *рис. 92.* Первые 10 см жгута используйте бисер «вода» с перламутровым покрытием и зеленый зеркальный стеклярус. Затем 18—20 см, пользуясь той же схемой, оставьте бусины диаметром 4 мм «вода» в перламутре, имитирующие росу.

Жгут начинайте с кольца зеленых бисерин А-15. На кольце будет место для цветка.

В конце жгута соберите кольцо А"-6. На этом кольце сделайте петлю из 7 бисерин, обойдите внутри этой петли 2—3 раза (для крепости). Выйдите из ее «макушки» и наберите линию из бисера и бус диаметром 7 мм «вода» в перламутре. Не забудьте линию «под пальцы».

Пришейте замочек.

Вернитесь по линии из бисера и бус, по ходу сделав 2—3 узла на оси. Обрежьте леску. Жгут готов.

• Цветок ириса состоит из 3 больших лепестков, тычинок, пестика, «капель росы».

Все лепестки делаются по единому принципу. Рассмотрите еще раз от *рис. 40а* до *рис. 51.* Для лепестка требуются технологии расширения мозаичного полотна, увеличения вверх, сужения вниз.

«Кудрявость» по краю лепестка получается за счет петли из 4 бисерин красного зеркального цвета.

«Ступенчатость» внутри лепестка сглажена дополнительными бисеринами красного зеркального цвета.

Изготовьте половину лепестка и проведите иглу на ось симметрии, одновременно проставив дополнительные бисерины (1—3). Сделайте «точку росы» из «веточки» [1 бисерная «вода» в перламутре + 1 бусина диаметром 7 мм + 1 бисерная «вода» в перламутре]. Затем начинайте собирать вторую половину лепестка по этому же *рис. 93.* Только не забудьте, что вы уже находитесь на осевой вертикали, поэтому сборку начинайте со второго вертикального ряда.

Опять сгладьте «ступенчатость» этой половинки лепестка, проложив дополнительные 1—3 бисерины. Снова вы окажетесь на оси лепестка. Пройдите в угол лепестка и выведите иглу.

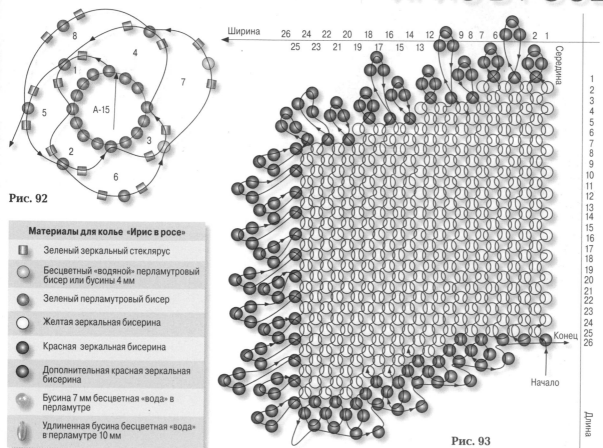

Рис. 92

Ширина

	26	24	22	20	18	16	14	12		9	8	7	6		2	1
	25	23	21	19	17	15	13									

Середина

Длина 1–26

Рис. 93

Начало / **Конец**

Материалы для колье «Ирис в росе»

- Зеленый зеркальный стеклярус
- Бесцветный «водяной» перламутровый бисер или бусины 4 мм
- Зеленый перламутровый бисер
- Желтая зеркальная бисерина
- Красная зеркальная бисерина
- Дополнительная красная зеркальная бисерина
- Бусина 7 мм бесцветная «вода» в перламутре
- Удлиненная бусина бесцветная «вода» в перламутре 10 мм

Пришейте лепесток к кольцу А-15 жгута, ориентируясь на *рис. 38*.

Изготовьте еще два лепестка, пришивая их к кольцу А-15 жгута. Не забывайте ставить «точки росы».

Между собой лепестки сшейте, также поставив по «точке росы».

В центре кольца А-15 жгута проложите бусину диаметром 7 мм цвета «вода» в перламутре, ориентируясь на *рис. 69*.

По *рис. 70* поставьте вокруг бусины кольцо на «ножках» из 5 красных бисерин и расшейте его петлями по *рис. 94*. Это будет «пестик».

Наберите 6 «тычинок» по схеме: 1 красная бисеринка + 1 удлиненная бусина перламутровая «вода» + 1 красная бисеринка + 1 желтая бисеринка.

• Между двумя лепестками наберите арочку из 15 красных зеркальных бисерин, закрепившись за красные петли лепестков. Вернувшись по арочке, соберите 8 веточек, пользуясь бусами диаметром 7 мм и желтым, красным, зеленым и перламутровым бисером. На концах веточек поместите бисеринки и петли из желтого зеркального бисера.

На одном лепестке с его изнанки пришейте вторую деталь застежки, при этом воспользуйтесь *рис. 2*.

На соседнем лепестке укрепите жгут, пришив его в одной точке к лепестку. Обрежьте «усы» лески.

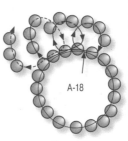

А-18

Рис. 94

Для бисера существуют специальные иглы. Их номера от 10 до 16.

КОЛЬЕ
•РОЗА•

Это элегантное асимметричное колье составлено из отдельно изготовленных деталей, которые затем сшиты. Для работы нужно: пять видов жгута; цветок «роза» из двух видов лепестков, «тычинок», «пестиков» и «веточек»; площадки для крепления розы; бисерные линии к замочку.

• Выполните три длинных жгута из красного бисера с блеском и красного стекляруса. Первый и третий жгуты сделайте по одной схеме, но набор будет разный: «левый» и «правый» (техники «игла на себя» или «игла от себя»), см. рис. 95, 96.

Средний красный жгут наберите по рис. 97.

Длина жгутов разная. В образце: 36, 38 и 44 см. Начала и концы жгутов сшейте по рис. 57 и рис. 58 и на них наберите «общие» жгуты № 4 и № 5 аналогично жгутам на рис. 59 и рис. 60. Для жгута № 4 использован золотистый бисер диаметром 3 мм и мелкий красный бисер с переливом. Его длина 25 мм (рис. 98).

Жгут № 5 (под розой) выполняйте из красного мелкого бисера, длина 10 мм. Его задача —

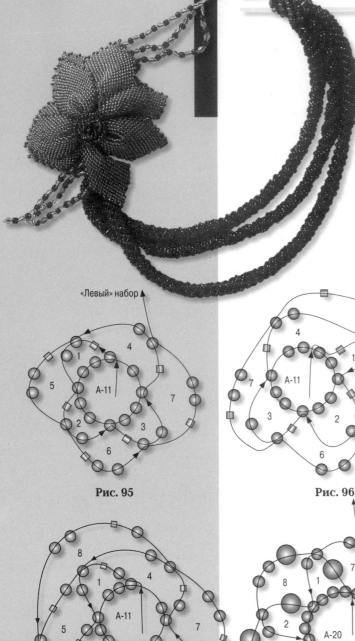

Рис. 95

«Левый» набор

Рис. 96

«Правый» набор

Рис. 97

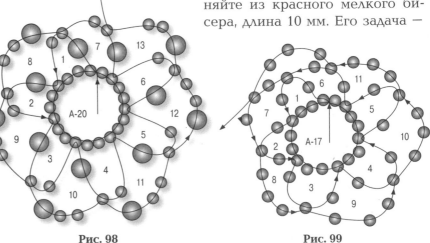

Рис. 98

Рис. 99

прикрыть место сшивания жгутов. Посмотрите *рис. 58*. На кольце А-17 соберите жгут по *рис. 99*.

• Цветок «Роза» состоит из двух видов лепестков. Соберите пять малых лепестков по *рис. 100*. Затем изготовьте вторую половину этого лепестка и пять больших лепестков по *рис. 101*, где описана половина лепестка. Собрав ее, перейдите к изготовлению второй половины большого лепестка.

Когда изготовите все 10 лепестков (плетение мозаики по *рис. 49* и *рис. 50)*, пришивайте их к бисерной площадке (ее изготовление смотрите ниже). Нижние большие лепестки пришейте не только нижними частями к полотну, но и в некоторых точках лепестков. Уже к самым большим лепесткам пришейте малые пять лепестков. Центр розы расшейте вышивкой-плетенкой по *рис. 6* крупными золотыми бусинами. Затем по *рис. 94* «накрутите» петель из золотистого бисера. Это будет «пестик» розы. «Тычинки» сделайте из красного бисера по *рис. 70*. Розу пришивайте и сквозь бисеринки, и между бисеринками *(рис. 17—21)*.

Сначала пришейте розу к площадке, пока она плоская и удобно работать.

У розы еще есть три веточки примерно по 10 — 12 см. Их можно «распустить» хоть от бисерной площадки, хоть от жгута.

• Сделайте бисерную площадку под розой из красного бисера. Ее размеры должны быть такими, чтобы обхватить три жгута и сшить вокруг них из нее трубочку. В образце площадка имеет ширину в 20 бисерин и длину в 35 вертикальных рядов (*см. рис. 13о, 13п, 13р, 13с, 13т*, только собирайте не на 7, а на 20 бисеринах в полоску).

Когда на площадку пришьете розу, наложите площадку на три жгута и соедините ее в трубочку *(рис. 38)*.

• «Подойдите» к замочку бисерными линиями и закрепите его.

С большого жгута с крупными золотыми бусинами перейдите на замочек «Эйфелевой башней» на 6 «ножках» и линией из бус и бисера «под пальцы».

Со 2-го жгута из красного бисера перейдите на замочек тремя линиями из бус и бисера, причем внутренняя линия должна быть меньше внешней и средней линии. Все три линии проходят через золотистую бусину и бисером «под пальцы» «уходят» на замочек.

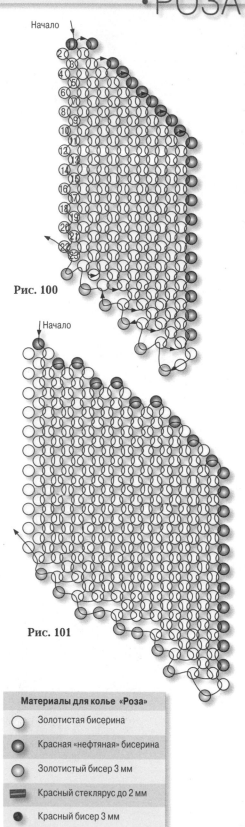

Рис. 100

Рис. 101

Материалы для колье «Роза»	
◯	Золотистая бисерина
◉	Красная «нефтяная» бисерина
◔	Золотистый бисер 3 мм
▬	Красный стеклярус до 2 мм
●	Красный бисер 3 мм

КОЛЬЕ
• ВОЛШЕБНЫЙ ЦВЕТОК •

(ЖГУТ И ПОДВЕСКА)

Материалы для колье «Волшебный цветок»	
	Стеклярус
	Крупный серебристый бисер
	Голубой зеркальный бисер
	Голубой страз с восьмигранным «зеркальцем» 15 мм
	Темно-синие бусины 7 мм

• По *рис. 95* или *рис. 96* соберите голубой жгут, используя голубой зеркальный бисер и стеклярус.

• Кольцо наберите на 17 бисерин. Длина жгута с застежкой — 48 см.

• «Эйфелеву башню» *(рис. 56)* наберите на 4 «ножках». Замочек используйте серебристый.

• Расшейте жгут крупным серебристым бисером *(рис. 6)* в одном направлении, используя по одной бисерине в вышивке-плетенке.

• Подвеска состоит из 6-лепесткового цветка и его центра и бисерной линии, ведущей к кольцу, сквозь которое проходит жгут. Изготовьте 7 одинаковых площадок из голубого зеркального бисера, опираясь на *рис. 12*, по формуле 3 + 5 + 7x5 + 5 + 3 бисерины.

- По *рис. 16* «сгладьте» ступенчатость площадок.

- Пришейте по голубому многогранному стразу размером 1x1,5 см.

- Все сразу обтяните «стаканчиком» «Кремлевской стены» по *рис.* 19, используя серебристый бисер.

- Между элементами Д проложите по голубой бисерине.

  Соберите одну площадку для центра цветка. Ее формула: $3+5+7x3+5+3$ голубых бисерины.

- Сгладьте «ступенчатость» площадки дополнительными бисеринами.

- Пришейте голубой страз с восьмигранным «зеркальцем» в огранке диаметром 15 мм.

- Соберите вокруг страза серебристый «стаканчик» в два этажа *(рис. 20)*, а второй ряд — по *рис. 23*.

- Между элементами Д в первом «этаже» проложите по дополнительной голубой бисерине.

- Соедините центр цветка с лепестками прямым соединением по *рис. 38*.

- Лепестки между собой соедините в двух точках каждую пару по *рис. 39*, используя темно-синие бусы диаметром 7 мм и серебристый бисер. Метод соединения площадок через дополнительные бисерные линии.

- От соседних лепестков наберите бисерную линию, у которой как бы по второй «ножке» с каждой стороны. Получим по бисерной развилке, чтобы цветок не закручивался и висел устойчиво.

- Отложим цветок с петлей.

- От седьмой бисерной площадки со стразом наберем полосу из серебристого и голубого зеркального бисера методом ручного ткачества. Ее размер: 5 бисерин x 22 ряда.

- Проденьте полосу сквозь петлю на лепестках цветка и сшейте полосу и площадку в кольцо *(рис. 38)*.

- Расшейте это кольцо ажурной полосой *(рис. 53)*.

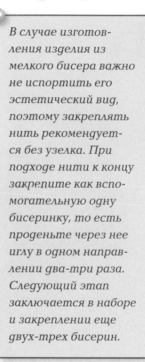

Если вы стремитесь к умиротворению и покою, используйте голубой и синий цвета при создании орнамента.

В случае изготовления изделия из мелкого бисера важно не испортить его эстетический вид, поэтому закреплять нить рекомендуется без узелка. При подходе нити к концу закрепите как вспомогательную одну бисеринку, то есть проденьте через нее иглу в одном направлении два-три раза. Следующий этап заключается в наборе и закреплении еще двух-трех бисерин.

КОЛЬЕ
•ЦАРСКОЕ•

(ЖГУТ И ПОДВЕСКА)

Материалы для колье «Царское»	
	Золотистый бисер
	Крупный золотистый бисер
	Серебристый бисер
	Красный бисер
	Зеленый бисер
	Красная большая бисерина 3 мм
	Стразы зеленого цвета

• Жгут «Царского» колье набран на кольце А-17 золотистого цвета и начинается с 5 лепестков. Его длина 43 см, а с застежкой — 48 см. Вышивка по жгуту произведена после его изготовления. Жгут можно носить без подвески.

Для сборки жгута используйте *рис. 76, 77, 78, 79, 80, 81*, только помните, что у вас кольцо из 17 бисерин, и вам надо построить пять лепестков. По окончании сборки жгута соберите кольцо А"-17, затем «Эйфелеву башню» по *рис. 56*, и пришейте замочек. То же самое сделайте и с другой стороны, где вы оставляли леску длиной 15 — 25 см.

• Подвеска состоит из 9 площадок, расшитых стразами зеленого цвета, бисером и бусами. Между собой они соединены линиями из бисера и бус.

В свою очередь, эти 9 площадок состоят из 6 круглых, двух небольших полос и одной большой площадки.

Соберите центральную большую площадку из золотистого бисера размером 20 бисерин на 20 рядов. На двух торцах площадки проложите бисерные линии по *рис. 16*. По *рис. 7* вокруг площадки расположите арочки, где С = 1, Д = 2, К = 0, и они крепятся к краю площадки через две пропущенные бисерины за третью. Арочки золотистого цвета. Между арочками проложите более крупные золотистые бисерины, которые вместе с арками создают прямую линию вокруг площадки.

Пришейте к площадке страз зеленого цвета размером 20 x 25 мм. Вокруг страза «поставьте» вертикально «стаканчик» из золотистого бисера, который будет не что иное, как «Кремлевская стена», где С = 3, Д = 1, К = 0.

На «Кремлевской стене» поставьте второй ряд, где С = 1, Д = 1, К = 0. Принцип этой конструкции рассмотрен на *рис. 23.* Первый ряд «Кремлевской стены» — весь из золотистого бисера, второй ряд делайте по схеме: 1 серебряная бисеринка + 1 красная бисеринка + 1 серебряная бисеринка. Первый ряд «Кремлевской стены» расшейте вышивкой-плетенкой в один ряд, ее набор: 1 зеленая бисеринка + 1 золотая бисеринка + 1 зеленая бисеринка. Во втором ряду «Кремлевской стены» между красными бисеринами элемента Д проложите по золотистой большой бисерине [через 3 красных — 1 золотистая бисерина].

По арочкам золотой площадки проложите вышивку-плетенку по *рис.* 6. В центре вышивки — большая золотистая бисерина, на 4 углах от нее — по зеленой бисерине.

Между вышивкой-плетенкой и вышивкой страза по углам площадки проложите вышивку с красной большой бисериной и «лучиками» от нее в сторону углов.

Большая площадка готова.

Теперь собирайте две меньших бисерных полосы золотистого бисера размером 16 бисерин на 17 рядов. На торцах проложите бисерные линии. Вокруг всей площадки соберите арочки, кружева, как и на большой площадке.

Пришейте страз зеленого цвета, дополните его «Кремлевской стеной» и вышейте «плетенкой». Положите золотистые бисерины вверху по красной линии арочки.

Украсьте арочки площадок вышивкой-плетенкой и расшейте уголки красным большим бисером и серебристыми «лучиками».

Соберите шесть круглых площадок по формуле: 3 + 7 + 11 + 15 x 5 + 11 + 7 + 3 бисерины *(рис. 12).* Обведите круглые площадки бисерными линиями, арочками. Пришейте округлые стразы зеленого цвета, расшейте их по описанию выше, вокруг площадки вышейте «плетенкой» арочки. Красным и серебристым бисером «раскидайте» по 3 ярких «точки». У одной круглой площадки можно сразу собрать 5 коротких веточек.

Когда все 9 деталей готовы, наколите их на пенопласт. Прокладывая всевозможные бисерные линии, соберите их. Помните о симметрии изделия.

Пришейте такие же застежки, как и на жгуте.

Толстые нити, естественно, гораздо прочнее тонких. Они хорошо держат форму, потому что достаточно упруги. Бисер на них лежит ровно. Хотя бывают ситуации, когда нужно, чтобы нить не была заметна в изделии. В таком случае стоит обратить внимание на выбор тонкой прочной нити. Ее преимущество будет еще и в том, что она легче пройдет сквозь узкое отверстие мелкого бисера.

КОЛЬЕ
•РУССКОЕ•

Материалы для колье «Русское»	
●	Красная бусина 5 мм
•	Черный бисер
◆	Страз с квадратным «зеркальцем» в огранке
◆	Красный страз с восьмиугольным «зеркальцем» в огранке
◉	Золотистый бисер

Для «Русского» колье надо изготовить три вида площадок, пришить к ним стразы, расшить стразы бисером и соединить площадки линиями из золотистого бисера и красных бус диаметром 5 мм.

• Соберите центральную большую площадку из черного бисера. Ее размер 25 бисерин х 21 ряд. С торцов обшейте площадку бисерными линиями по 25 бисерин в каждой, ориентируясь на *рис. 16.*

• Пришейте к этой площадке 5 красных стразов. По углам площадки поставьте стразы с квадратным «зеркальцем» в огранке, а в центре — с 8-угольным плоским «зеркальцем». Расшейте их.

Соберите 6 площадок из черного бисера. Их размер 10 бисерин х 8 рядов. Торцы площадок оформите бисерной линией *(рис. 16).* Пришейте к ним по стразу с квадратным «зеркальцем» в огранке. Расшейте стразы.

Соберите 11 площадок из черного бисера по формуле 3+5х5+3 (*рис. 12* и *рис. 13).* Проложите дополнительные бисерины на «ступеньках» площадок по *рис. 16.* Закрепите леску узлом. К каждой площадке пришейте по многогранному стразу. Расшейте их.

Во всем колье все стразы расшиты одинаково. «Стаканчиком» поставьте два этажа «Кремлевской стены» (*рис. 19* и *рис. 23*) из золотистого бисера. Затем добавьте по черной бисеринке между элементами Д в арочках первого «этажа».

Из золотистого бисера и красных бус наберите свободные линии для связки всех деталей в одну конструкцию. Обратите внимание, что внутренний периметр колье должен быть меньше внешнего, для этого прокладывайте разное количество бусин.

От большой центральной площадки спускаются три овальные площадки в виде капель. Их можно присоединить сразу при изготовлении овальных площадок.

Линии из золотистого бисера и красных бус можно сразу собирать в процессе изготовления площадок, как бы их «приплетая» к уже готовой части колье.

Когда ваши линии из красных бус и золотистого бисера подойдут к застежке, пришейте одну линию к застежке (а нам их надо две), вернитесь назад внутри бисера и бус, пройдите через ряд черного бисера внутри крайней площадки со стразом. Выведите иглу, пройдите к застежке, набрав ряд из золотистого бисера и красных бусин.

• Пришейте застежку.

• Вернитесь по набору из бус и бисера, выведите иглу, наберите бисер и одну бусину и закрепитесь за первую линию бус и бисера.

• Вернитесь из набранной только что бусины, проведите бисерную линию к третьей дырочке застежки.

• Вернитесь внутри бисера, по пути собрав «треугольник» над бусиной.

КОЛЬЕ
•МОЙ КРЕСТ•

Колье состоит из множества деталей.

- Для бисерной площадки используйте недорогой золотистый бисер. Его не будет видно, но он даст необходимую «подсветку». Схему креста посмотрите на *рис. 102*.

Площадка креста собрана методом ручного ткачества *(рис. 13)*. Начинать сборку можно с любой стороны, в образце это сделано с 8 бисерин в точках АВ. Наращивание количества бисерин см. по рисунку.

- Крест симметричен. Пунктирами указаны места крепления стразов, под номерами — какой именно цвет и размер страза использован:

№ 1 — овальный многогранный красный страз 25 х 20 мм;

№ 2 — синий страз 25 х 20 мм;

№ 3 — красный многогранный страз 15 х 10 мм;

№ 4 — синий страз 5 х 10 мм;

№ 5 — красный страз 5 х 10 мм.

- Пришивать стразы лучше с № 1 в центре креста. Затем соберите вокруг него «стаканчик» по *рис. 20*, где в «верхушках» помещается серебристый бисер, а для «стеночек» берутся по 2 красных. Затем соберите второй «этаж» по *рис. 23*, где «верхушки» — серебристый бисер, а «стеночки» — по 1 синей бисерине.

Первый «этаж» расшейте вышивкой-плетенкой в один ряд, постоянно набирая: 1 красная бисеринка + 1 красный стеклярус + 1 красная бисеринка по *рис. 24*.

Между «верхушками» первого «этажа» проложите по очереди по золотистой и белой бусине диаметром 3 мм.

Синий страз № 2 пришейте по определенным на *рис. 102* местам. Соберите и расшейте первый кружевной «этаж», как и в № 1.

Второй «этаж» отличается только по цвету: вместо синего берите золотой бисер. Между «верхушками» первого «этажа» кружев проложите только золотистые крупные бисерины или бусины.

Красный многогранный страз № 3 пришейте в отверстия для крепления. Расшейте только его внешнюю половину периметра, по краю креста. Внутреннюю половину периметра страза прижмите тремя белыми бусинами и золотисто-белыми арочками.

Стразы № 4 и № 5 пришейте только бисеринками за отверстия для крепления стразов. Между ними кое-где «разбросайте» белые бусины диаметром 4 мм и диаметром 5 мм.

Рис. 102

• Методом ручного ткачества соберите из золотистого бисера две площадки по формуле $3 + 5 + 7 \times 4 + 5 + 3$ *(рис. 13).*

Проложите дополнительные золотистые бисерины на их «ступенчатостях» по *рис. 16.* Пришейте красный многогранный страз № 3. Расшейте первый «этаж», как у страза № 1. Между серебристыми «верхушками» проложите по синей и белой бисерине.

Когда полностью изготовите эти площадки, сверху проложите петлю из белых бусин диаметром 4 мм.

• Конструкцию из бус и бисерных площадок назовем «крылышками». Начинаются «крылышки» с пяти белых бусин диаметром 6 мм, замкнутых в кольцо 2−3-мя узлами.

Когда вы пройдете по этому кольцу 2−3 раза леской и оно станет жестким и надежным, завяжите узел на оси, наберите 5 красных бисерин и войдите в крайние бисеринки площадки креста.

Выведите иглу. Наберите пять бисерин и войдите в кольцо А-5 из больших белых бусин пару раз для надежности. Выйдите.

Наберите 8 белых бусин диаметром 4 мм и войдите в крайний ряд маленькой площадки. Выйдите. Наберите 2 такие же белые бусины и войдите «навстречу» в бусину № 6. Выйдите. Наберите 3 белые бусины диаметром 4 мм. Войдите в белую бусину кольца А-5, как показано на *рис. 103.* Первое «крылышко» крепления креста готово.

Глядя на *рис. 103,* соберите 2-е «крылышко» с площадкой.

От «крылышек» из точки К выходит бисерная линия: 3 золотые бисерины + 1 красная бисерина + 3 золотые бисерины и крепится за ажурную золотистую линию синего страза. Выведите иглу. Наберите те же 7 бисерин и войдите в большую белую бусину диаметром 6 мм. Пройдите 2−3 раза по этому набору. Теперь кольцо А-5 жестко крепится к площадке креста.

• Цепочка колье состоит из двух одинаковых деталей. Двумя иглами соберите цепочку-«колечки» *(рис. 3)* из качественного золотистого бисера, где элемент А = 3 бисерины и элемент В = 3 бисерины. Всего сделайте 32 кольца.

После этого наберите по 5 золотистых бисерин и войдите «навстречу» в две бусины «крылышка». Выйдите. Одну иглу закрепите узлами на оси и пока оставьте. Второй иглой сделайте вышивку *(рис. 5),* чередуя цвета бисера, которые используются в колье.

В нижнем ряду вышивки — 5 бисерин, а в верхнем — 6 бисерин.

• Снова «подойдите» к «крылышку». Иглой с внешней стороны цепочки «колечки» соберите ажурную линию типа «Кремлевская стена», используя мелкий и крупный золотистый бисер и белые бусины диаметром 3 мм.

С внутренней стороны цепочки еще раз проложите леску, по ходу ее движения через 6 золотистых бисерин помещайте белые бисерины.

• С одного конца цепочка «колечки» пришита к «крылышкам». С другой стороны к цепочке пришейте замочек.

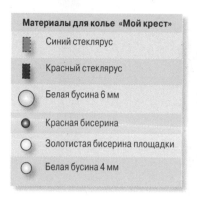

Материалы для колье «Мой крест»

▦	Синий стеклярус
▮	Красный стеклярус
○	Белая бусина 6 мм
●	Красная бисерина
○	Золотистая бисерина площадки
○	Белая бусина 4 мм

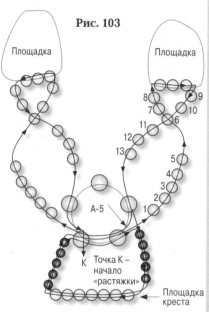

Рис. 103

Площадка   Площадка

Точка К – начало «растяжки»

Площадка креста

КОЛЬЕ
•ВЕСЕННЕЕ•

- Соберите бисерную площадку из зеленого зеркального бисера по формуле: $3+5+7 \times 7+5+3$. Сгладьте «ступенчатость», проложив дополнительную бисерную линию *(рис. 12—16)*.

- Пришейте пуговицу по *рис. 17* («без растяжки», туго).

- Вокруг пуговицы соберите «стаканчик» из зеленого зеркального бисера в два «этажа» *(рис. 20, 21 и 23)*.

- Проложите дополнительные розовые бисерины в «верхушках» первого «этажа».

- Первый «этаж» расшейте по *рис. 24* или *рис. 6* зеленым зеркальным бисером.

- Все вышеперечисленное повторите еще 15 раз, т.к. все 16 площадок с пришитыми пуговками розового цвета с перламутровым переливом и блеском, выпуклые и овальные (10 x 15 мм), изготовлены и вышиты совершенно одинаково. Отличаются площадки только отделкой их периметра.

- Начинайте отделку с нижней детали с «веточками», затем поднимайтесь вверх к застежке.

- Обратитесь к *рис. 104*. Вы должны сделать следующее количество деталей: № 1 — 1 шт.; № 2 — 1 шт.; № 3 — 2 шт.; № 4 — 4 шт.;

Замочек
Цепочка

№ 5
№ 5
№ 5
№ 5
№ 5
№ 5
№ 5
№ 5
№ 5
№ 5
№ 4
№ 4
№ 4
№ 4
№ 3
№ 3'
№ 2
№ 1

Рис. 104

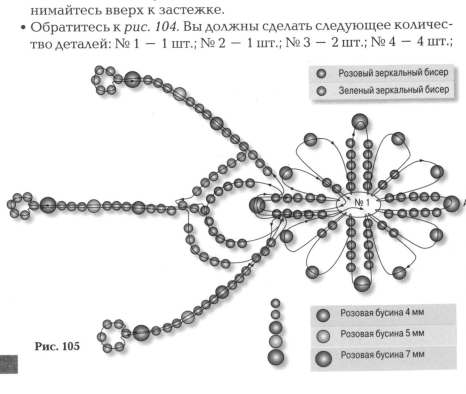

| | Розовый зеркальный бисер |
| | Зеленый зеркальный бисер |

№ 1

A

Рис. 105

	Розовая бусина 4 мм
	Розовая бусина 5 мм
	Розовая бусина 7 мм

№ 5 — 8 шт. Украшать их кружевной кае-
мочкой следует по очереди, следующую деталь пришивайте к предыдущей.

• Обратите внимание на расположение площадок: вертикальное и горизонтальное.
• Розовые бусины подберите трех размеров:
  диаметрами 7 мм, 5 мм, 4 мм.
• На *рис. 105* дана схема украшения площадки № 1 кружевом.

Даже если из всего колье вы соберете только эту площадку и подвесите ее на шнурке или
цепочке, украшение будет выглядеть стильно.

• Переходите к украшению бусами и бисером площадки № 2 по *рис. 106*.
• Бусина А на *рис. 105* будет местом крепления площадок № 2 и № 1. В местах соединения площадок пройдите леской 2 — 3 раза
  для придания конструкции крепости и жес-
  ткости.
• Хорошо заделайте концы лески, вяжите по
  2 — 3 узла на оси и только после этого обре-
  зайте ее.
• На *рис. 107* изображена площадка № 3. Об-
  щим элементом крепления у нее будет бусина Б в уже собранной площадке № 2.

Обратите внимание, что площадка № 3 рас-
положена горизонтально. На *рис. 108* эта же
деталь колье крепится другим «боком» к детали № 2.

• Всего площадок № 4 будет четыре. Крепление у них идентичное. Принцип сборки колье вам уже понятен *(рис. 109)*.
• Полностью оплетя площадку, «прикрепитесь»
  к нижней площадке через бусину на ней.
• Поставьте эти площадки горизонтально.
• На *рис. 110* изображена схема оплетения
  площадки № 5. В образце их — по четыре
  с каждой стороны колье. Площадки постав-
  лены вертикально.
• После оплетения крайних площадок № 5 и
  № 5' соберите цепочку из розовых бус диаметром 4 мм и розовых зеркальных бисерин *(рис. 10)*.
• Пришейте замочек.
• Уйдите по бисерному набору назад. Сделайте 2 — 3 узла на оси. Обрежьте леску с
  иглой.

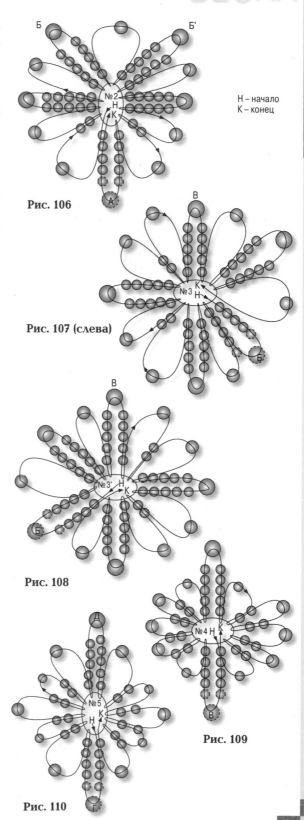

Н – начало
К – конец

Рис. 106

Рис. 107 (слева)

Рис. 108

Рис. 109

Рис. 110

КОЛЬЕ-СТОЙКА
•ПЕРВОЦВЕТЫ•

Колье состоит из двух видов площадок, выполненных в технике ручного ткачества из белого перламутрового недорогого бисера.

- Больших площадок три: центральная и две крайних. Формула большой площадки: 3+7+11+15+19+23+27x15+23+19+15+11+7+3.

- Получившиеся при переходе от ряда к ряду «крутые ступеньки» сгладьте бисерной линией по *рис.* 16, только дополнительных бисерин ставьте не по одной, а по 2−3 (ориентируйтесь на размер бисера). Избегайте «волнистости» в бисерной линии, но и натяжения из-за недостатка бисера быть не должно.

- По бисерной линии наберите арочки, типа «Кремлевской стены», чтобы они лежали в плоскости площадки, не топорщились. И в «стеночках», и в «верхушках» арочек в образце по три бисерины (по схожести *см. рис. 21*).

- Определите, где у вас будет изнаночная, а где лицевая стороны площадки.

- С лицевой стороны по арочкам, как по цепочке «колечки», проведите вышивку-плетенку, не простую, как на *рис.* 6, а можно усложнить, как на *рис. 77, 78, 79.* Цвет плетенок чередуйте. Центры в образце сделаны белыми.

Материалы для колье-стойки «Первоцветы»

	Большая пуговица малахитового или синего цвета
	Синий бисер
	Серебристый бисер
	Белый перламутровый бисер
	Крупный золотистый бисер
	Красный перламутровый бисер
	Крупный синий бисер
	Белая бусина 3 мм
	Белая бусина 5 мм

- В центре площадки пришейте большую пуговицу 25 х 25 мм малахитового или синего цвета с серебристыми прожилками, без «ножки». Используйте *рис. 17, 18а, 18б*. Растяните линии лески, чтобы пуговица стала плотно.

- По *рис. 21* обтяните пуговицу бисерным «стаканчиком» с постоянным набором. Арочка будет выглядеть так: 1 синяя бисеринка + 2 белые бисеринки + 1 серебряная бисеринка + 2 белые бисеринки + 1 синяя бисеринка.

- Второй «этаж» арочек соберите по *рис. 23*, где «стеночки» — из серебристого бисера, а «макушки» — то белые, то синие бисерины, по очереди.

- Между «верхушками» первого «этажа» проложите красивые крупные золотистые бисерины.

- Расшейте первый «этаж» «стаканчика» по *рис. 24*, где крайние бисерины — серебристые, а центральные — красные перламутровые.

- Внутренний периметр вышивки-плетенки площадки «прикройте» красивой линией из серебристого бисера, крупного синего бисера и белых бусин диаметром 3 мм (*рис. 19* в части крепления бисерной линии к площадке).

- Малых площадок должно быть две. Соберите их по формуле: $3 + 7 + 11 + 15 + 19 \times 15 + 15 + 11 + 7 + 3$.

  Остальная работа с этими площадками описана выше в пункте *14б*.

- Рассмотрим очередность изготовления и сборки колье.

  Сначала изготовьте большую центральную площадку.

  Затем — малую площадку. Сразу присоедините ее к большой бисерными линиями: 1 серебристая бисеринка + 1 белая бусина диаметром 3 мм + 1 серебристая бисеринка.

- Изготовьте вторую малую площадку и присоедините ее с другой стороны большой центральной площадки вышеуказанным набором.

- Изготовьте еще две большие площадки и теми же линиями присоедините к малым площадкам.

- Переходите к изготовлению кружев вокруг площадок.

- Желательно, чтобы верхний периметр колье был меньше нижнего. Для этой цели соберите кружева вверху полностью из белых бус диаметром 3 мм. Внизу три центральные площадки окантуйте бусами диаметром 5 мм. Две крайние площадки внизу украсьте кружевами из бус диаметром 3 мм. Колье немного прогнется, но будет лучше облегать шею.

- Для яркости и красоты при переходе кружев с одной площадки на другую соберите серебристого «паучка» с синей бусиной в центре.

- Приведите линии из бус к застежке. Соедините линии между собой цветочками из бус. Количество бусин в линиях — разное.

Избегайте соскальзывания бисера с нити. Попробуйте перед началом плетения набрать 5—6 штук и, оставив конец нити длиной 10 см, пройтись иглой в обратном направлении через бисеринки, исключая последнюю из набранных. Это будет временным закреплением, которое снимается перед окончанием работы и основательным закреплением.

КОЛЬЕ
•МАЛАХИТОВОЕ•

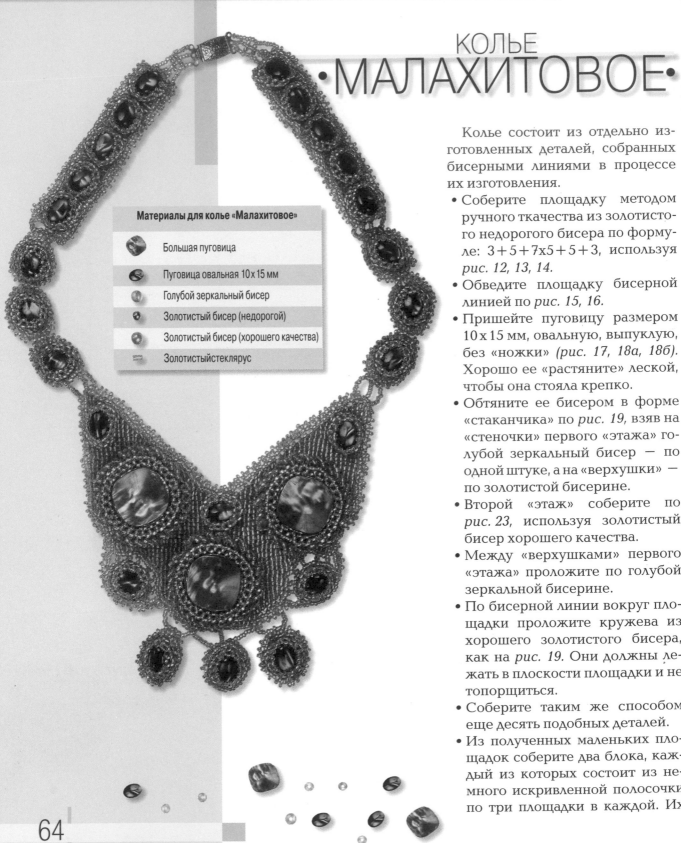

Материалы для колье «Малахитовое»

	Большая пуговица
	Пуговица овальная 10 x 15 мм
	Голубой зеркальный бисер
	Золотистый бисер (недорогой)
	Золотистый бисер (хорошего качества)
	Золотистыйстеклярус

Колье состоит из отдельно изготовленных деталей, собранных
бисерными линиями в процессе
их изготовления.

• Соберите площадку методом
ручного ткачества из золотистого недорогого бисера по формуле: $3 + 5 + 7x5 + 5 + 3$, используя
рис. 12, 13, 14.

• Обведите площадку бисерной
линией по *рис. 15, 16.*

• Пришейте пуговицу размером
10 x 15 мм, овальную, выпуклую,
без «ножки» *(рис. 17, 18а, 18б).*
Хорошо ее «растяните» леской,
чтобы она стояла крепко.

• Обтяните ее бисером в форме
«стаканчика» по *рис. 19*, взяв на
«стеночки» первого «этажа» голубой зеркальный бисер — по
одной штуке, а на «верхушки» —
по золотистой бисерине.

• Второй «этаж» соберите по
рис. 23, используя золотистый
бисер хорошего качества.

• Между «верхушками» первого
«этажа» проложите по голубой
зеркальной бисерине.

• По бисерной линии вокруг площадки проложите кружева из
хорошего золотистого бисера,
как на *рис. 19*. Они должны ле-
жать в плоскости площадки и не
топорщиться.

• Соберите таким же способом
еще десять подобных деталей.

• Из полученных маленьких площадок соберите два блока, каждый из которых состоит из немного искривленной полосочки
по три площадки в каждой. Их

можно просто сшить «верхушками», а можно во время сборки кружев на средних площадках пользоваться «верхушками» уже готовых соседних площадок, захватывая их.

- Соберите две полосы из недорогого золотистого бисера по формуле: 7 х 41 ряд.

- Пришейте к площадкам по пять пуговиц.

Обведите площадки бисерной линией по *рис. 16*.

Площадки и пуговицы украсьте кружевами по описанию выше. Во время обвязки кружевами к площадкам прикрепите детали застежек, а с другой их стороны пришейте к ним блоки бисерных маленьких площадок.

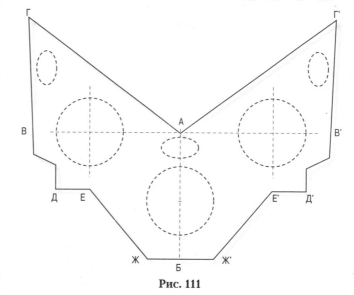

Рис. 111

- По *рис. 111* соберите большую центральную площадку из недорогого золотистого бисера. Начинать сборку можно с любой стороны, в образце это сделано от центра по линии АБ на двадцати восьми бисеринах.

Линия АВ охватывает двадцать восемь рядов: АВ = АВ' = 28 рядов.

- После сборки площадки обведите ее бисерной золотистой линией по *рис. 16*. Кружевную линию соберите после, чтобы цепляться за нее.

- Ориентируясь на *рис. 111*, пришейте большие пуговицы, растянув их леской. Обтяните их кружевами, где первый «этаж» собран по *рис. 21*: в «стеночках» — по три голубые зеркальные бисерины, в «верхушках» — по одной золотистой бисерине.

- Второй «этаж» собран по *рис. 19* или *рис. 23* из хорошего золотистого бисера. Над этой расшивкой сделайте еще ряд вышивки-плетенки с набором: 2 голубые зеркальные бисеринки + 1 золотой стеклярус 2—3 мм + 2 голубые зеркальные бисеринки. За счет этой двойной вышивки увеличивается площадь, занимаемая пуговицей, и украшение выглядит богаче.

- В «верхушках» первого «этажа» проложите по крупной золотистой бисерине хорошего качества.

- В указанных на *рис. 111* местах пришейте по маленькой пуговке с растяжкой и украшением кружевами.

- На макете видны два угла: угол ДЕЖ и угол Д'Е'Ж'. На этих углах расположите по маленькой площадке с пуговкой. Для этого большую площадку переверните изнанкой кверху и иглами закрепите на пенопласте. Рядом, около указанных углов, закрепите маленькие площадки. Соедините площадки бисерными золотистыми линиями, чтобы получилась «паутинка».

- Тут же вы можете закрепить на пенопласте нижние три готовые площадки. Присоедините их к большой площадке свободными бисерными линиями.

- Украсьте большую площадку арочками из хорошего золотистого бисера. Присоедините большую площадку к блокам из маленьких площадок.

- Изменить размер внутреннего периметра колье можно, меняя количество деталей в блоках.

КОЛЬЕ
•БАБОЧКА•

ПОДВЕСКА, ЦЕПОЧКА

Материалы для колье «Бабочка»	
	Красный перламутуро-вый бисер
	Золотистый бисер
	Разноцветные пуговки
	Цветной бисер

- Обратитесь к *рис. 33.* Начиная от центра, красным перламутро-вым бисером соберите по очереди крылья бабочки с отверсти-ями в них. Расчет бисерин смотрите на *рис. 34.*

- По периметру отверстий проложите бисерные золотистые ли-нии. На них соберите цветочки по *рис. 77, 78, 79* и растяните их на бисерных «паутинках».

- Пришейте разноцветные пуговки и обшейте их золотистыми «стаканчиками» в два «этажа» по *рис. 23.* А в украшении цент-ральной пуговки используйте цветной бисер.

- Вокруг всей большой красной площадки проложите сначала красную бисерную линию, чтобы скрыть «ступенчатость». Затем проложите золотистую линию. По ней соберите круже-ва «Кремлевская стена» по *рис. 7,* где С = 1, Д = 0, К = 2.

- Пришейте детали застежки, растяните их на треугольниках из бусинок.

- Из бусинок и бисера соберите подобие «усиков» бабочки. В работе вам помогут *рис. 35, 36, 37.*

•НАРЯДНЫЙ С ЛИЛИЕЙ•
ЖГУТ

Материалы для жгута нарядного с лилией	
	Большой серебристый стеклярус
	Розовый стеклярус
	Серебристый бисер
	Розовый бисер

Работайте леской в два сложения.

Жгут выполнен из розового бисера и стекляруса, на кольце А-20 с шестью лепестками по формуле 1 роз. стекл. + 1 роз. бис. + 1 роз. стекл. Работайте по *рис. 112*, пока не наберете 30 — 33 см.

Готовый цветок вплетайте в процессе общего плетения жгута. Проходите леской через бусины лилии и бисер жгута по 2 — 3 раза для надежности конструкции.

После цветка продолжайте сборку жгута, но теперь ставьте в лепестках большой серебристый стеклярус и розовые бисерины. Чтобы диаметр жгута при этом не менялся, «потеряйте» один лепесток жгута и таким образом соберите 4 — 5 см.

Соберите А"-20 и по *рис. 56* «Эйфелеву башню» на пяти «ножках». Пришейте замочек.

Соберите такую же «Эйфелеву башню» с другой стороны жгута и пришейте вторую деталь замочка.

Цветок лилии выполнен в технике «бисерной мозаики» из розового недорогого стекляруса, как и сам жгут, и украшен белыми и розовыми бусинами и хорошим серебристым бисером. К сожалению, объем книги не дает возможности приложить схему этого цветка, поэтому используйте ту схему, которой вы уже овладели.

Когда уберете все «усы» от лески — ваш жгут будет готов.

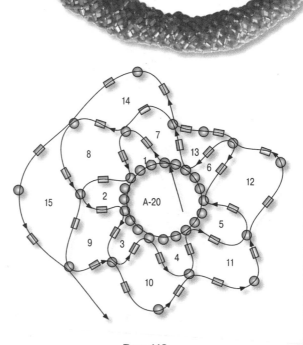

Рис. 112

ЖГУТ
•С КРЕСТИКОМ•

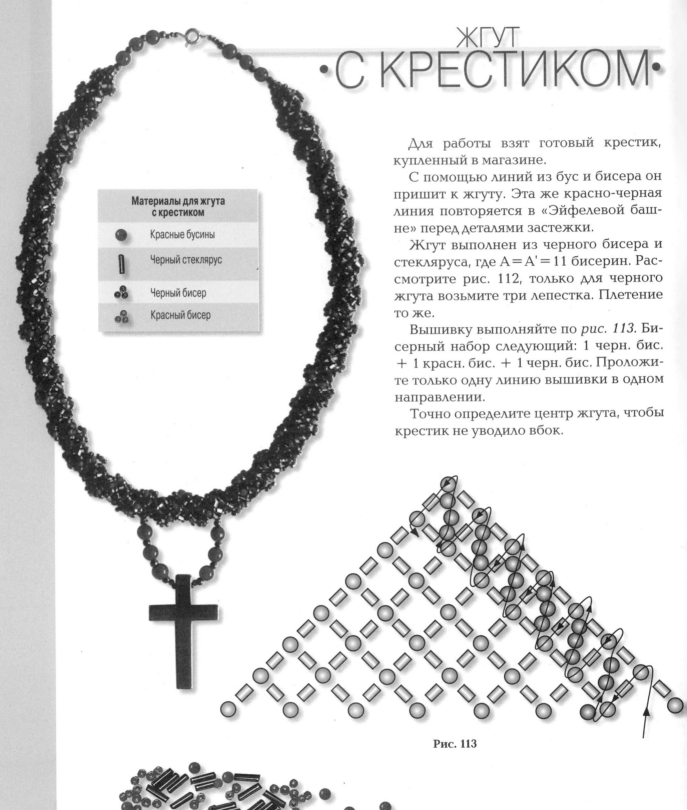

Материалы для жгута с крестиком	
●	Красные бусины
▮	Черный стеклярус
⬤	Черный бисер
⬤	Красный бисер

Для работы взят готовый крестик, купленный в магазине.

С помощью линий из бус и бисера он пришит к жгуту. Эта же красно-черная линия повторяется в «Эйфелевой башне» перед деталями застежки.

Жгут выполнен из черного бисера и стекляруса, где А=А'=11 бисерин. Рассмотрите рис. 112, только для черного жгута возьмите три лепестка. Плетение то же.

Вышивку выполняйте по *рис. 113.* Бисерный набор следующий: 1 черн. бис. + 1 красн. бис. + 1 черн. бис. Проложите только одну линию вышивки в одном направлении.

Точно определите центр жгута, чтобы крестик не уводило вбок.

Рис. 113

ЖГУТ
•КРАСНО-ЗОЛОТЫЕ ПЕТЕЛЬКИ•

Этот очень эффектный жгут можно собрать двумя способами.

Соберите жгут по *рис. 112*, только кольцо А=А"=11 бисерин. Наберите три лепестка с постоянным набором: 1 красн. стекл. + 1 зол. бис. + 1 красн. стекл.

Соберите «Эйфелеву башню» из золотистого бисера с тремя «ножками».

Пришейте детали застежки.

Определите, где вы начнете петельную вышивку жгута, и привяжите там леску на оси парой узлов. Ненужный конец лески вденьте во вторую иглу и «уведите» внутри бисера и стекляруса, лишнее обрежьте.

Переходя от одной золотистой бисерины к другой внутри разделяющего их стекляруса, соберите бисерную линию для петельки 2 зол. бис. + 1 красн. бис. + 2 зол. бис. Войдите снова в эту же золотистую бисерину, как при шитье «за иголку». Выйдите из нее. Пройдите сквозь красный стеклярус и золотистую бисерину. Выведите иглу, наберите бисер для петельки, пришейте «за иголку» к этой бисерине и идите к следующей золотистой бисерине. Так продолжайте до конца определенного вами вышиваемого ряда. Затем перейдите на соседнюю линию и по золотистым бисеринам вышивайте второй, а затем и третий ряд золотистых бисерин.

Второй способ набора красно-золотых петелек изображен на *рис. 114*. Во время плетения жгута сразу плетутся петельки.

Вы можете весь жгут собрать с петельками. Можно «разбросать» петельки художественными «пятнами» или сделать из них короткие участки на жгуте. «Поиграйте» с цветом жгута и петелек. Размер петелек в вашей власти.

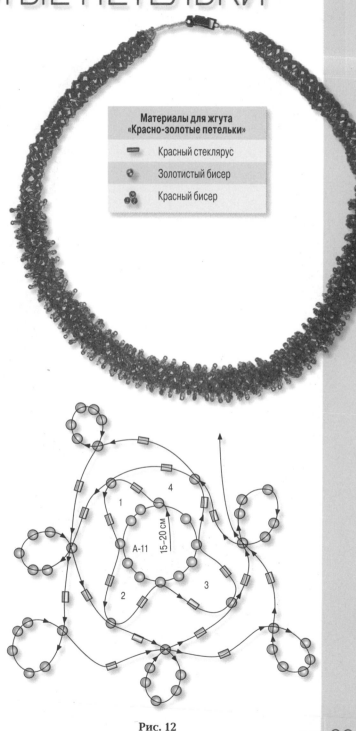

Материалы для жгута «Красно-золотые петельки»
▬ Красный стеклярус
◉ Золотистый бисер
◉◉ Красный бисер

Рис. 12

ЖГУТ
•КРАСНЫЙ В СЕРЕБРЕ И ЗОЛОТЕ•

Жгут соберите на кольце A = A" = 11 бисерин с тремя лепестками. Первоначальная формула набора лепестков 1 красн. бис. + 1 золот. стекл. + 1 красн. бис. + 1 серебр. бис. + 1 красн. бис. + 1 золот. стекл. + 1 красн. бис. «Верхушечной» бисериной будет серебристая.

Так вы можете набрать весь жгут, а затем вышить его по серебристым бисеринкам петлями из трех серебристых бисерин, как было описано выше.

Если захотите сразу со жгутом сплести и петли, то работайте по *рис. 115*.

Следите, чтобы петли не западали в середину изделия. Соберите «Эйфелеву башню» по *рис. 56* на трех «ножках».

Пришейте обе детали застежки.

Материалы для жгута «Красный в серебре и золоте»
Серебристый бисер
Золотистый стеклярус
Красный бисер

Рис. 115

ЖГУТ
•ДЕВИЧЬИ СЛЕЗЫ•

Этот красивый воздушный жгут собран по схеме, очень похожей на изображенную на *рис. 112.* Собран жгут на кольце A = A'' = 11 бисерин на трех лепестках. Два лепестка сплетены по формуле 2 красн. стекл. + 1 красн. бис. + 2 красн. стекл. Третий лепесток собран по формуле 1 большой серебр. стекл. + 1 серебр. бис. + 1 большой серебр. стекл.

Петельки в центре жгута собраны из трех бисерин в каждой. На серебристой бисерине в жгуте — серебристая петелька. На двух линиях красных бисерин жгута — по три красные бисерины в каждой петле.

Петельки можно вышить после изготовления жгута.

Если захотите петельки собирать одновременно со жгутом, воспользуйтесь схемой на *рис. 116.*

Материалы для жгута «Девичьи слезы»
Серебристыйстеклярус
Серебристый бисер
Красный бисер
Красный стеклярус

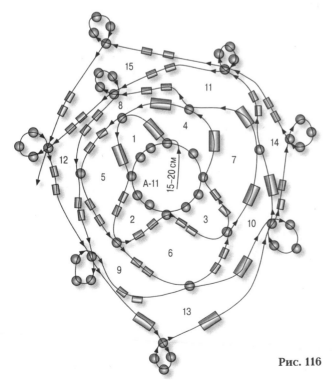

Рис. 116

ЖГУТ
•ГОЛУБАЯ ЛАГУНА•

Материалы для жгута «Голубая лагуна»	
●	Золотистый бисер
	Золотистый стеклярус
●	Голубая бусина

Это очень простое в изготовлении изделие. Оно собирается по схеме на *рис. 117* сразу, без вышивки. Единственное условие — подобрать соответствующие бусинки. Они представляют собой заостряющиеся от центра граненые конусы. Просто круглые или удлиненные бусины не дают такой красоты.

Соберите золотистое кольцо А-14 с четырьмя лепестками. Первые 3—4 ряда лепестков плетите одинаково по формуле 1 бис. + 1 стекл. + 1 бис. + 1 стекл. + 1 бис., все золотистые. Затем на одном лепестке введите голубую петлю из бусин, до и после петли поставьте по золотистой бисерине. В следующем ряду входите в бусину-верхушку. А в остальных трех лепестках работайте с золотистым материалом.

Кольцо А" = 14 бисерин.

«Эйфелева башня» — на 3 «ножках».

Пришейте детали замочка.

Рис. 117

15   14

10

15—20 см

5

1

6   9

11   А-14   4   13

2

7   3   8

12

ЖГУТ
•АРМЯНСКАЯ ПЕСНЯ•

Рассмотрите *рис 118*. На кольце А-17 бисеринами соберите пять лепестков по формуле 1 фиол. стекл. + 3 золот. бис. + 1 фиол. стекл.

«Верхушечной» будет средняя из трех золотистых бисерин. Набирайте по этой формуле и плетите сантиметров 10 жгута. Затем перейдите на измененное в одном лепестке плетение. Формула в измененном лепестке будет такая: 1 зол. бис. + 1 фиол. гранен. большая бусина + 3 золот. бис. Фиолетовая граненая бусина берется размером 1 см и диаметром 0,5 см. «Верхушкой» станет средняя бисерина из трех золотистых в этом лепестке.

Плетите следующим образом: четыре лепестка по одной формуле, а пятый — по измененной, примерно 28—30 см. Затем соберите 10 см жгута, как и в первом участке модели.

«Эйфелева башня» будет на пяти «ножках».

Пришейте замочек и уберите «усы» от лески.

Материалы для жгута «Армянская песня»	
Золотистый бисер	
Фиолетовый стеклярус	
Фиолетовая граненая бусина 10x5 мм	

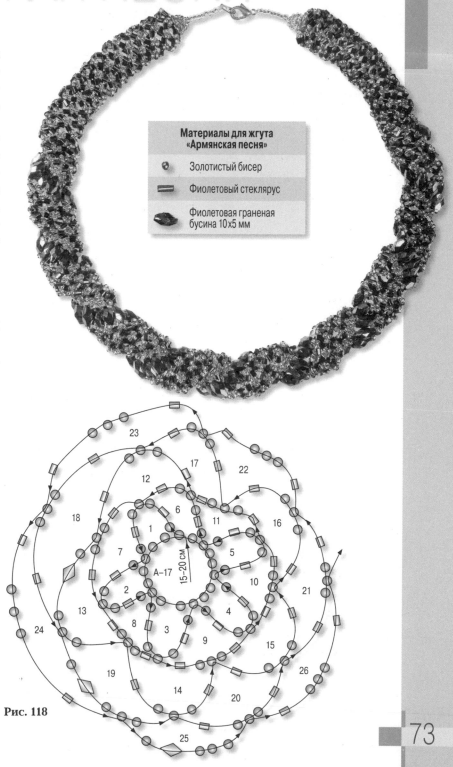

Рис. 118

ЖГУТ •ГОЛУБАЯ МЕЧТА•

Бисерная линия «под пальцы» в данной модели умышленно увеличена до 10 см и играет самостоятельную художественную роль.

На центральном кольце А = 11 набираем три лепестка по формуле 1 голуб. бис. + петля из 8 серебр. бис. + 1 голуб. бис. Так набираем 20 — 25 см жгута *(рис. 119—121).*

Не обрывая нити и не уходя на «Эйфелеву башню», производим вышивку жгута. Особенностью этого процесса будет то, что мы вышиваем обычным накладным крестиком не только кольца серебристым бисером по *рис.* 4 (в нижней линии вышивки 5 бисерин, в верхней — 6 бисерин), но и пространство между кольцами. Для этого нужно немного изменить вышивку: в первой линии будет 2 голуб. бис. + 1 голуб. бусина диаметром 5 мм + 2 голуб. бис. Во второй возвращающейся линии будет: 2 голуб. бис. — пройти сквозь голубую бусину + 2 голуб. бис. Используйте *рис.* 5, но количество бисера ставьте свое. Также используйте схему на *рис. 122.*

Таким образом расшивайте две линии жгута.

«Эйфелева башня» будет на 3 — 4-х «ножках».

Пришейте серебристый замочек.

Материалы для жгута «Голубая лагуна»

- Голубой бисер
- Серебристый бисер
- Голубая бусина

А-11
15—20 см

Рис. 119

4
1
А-11
15—20 см
2
3

Рис. 120

8
4
1
5
А-11
15—20 см
7
2
3
6

Рис. 121

Дополнительные бисерины и бусина вышивки

Рис. 122

ЖГУТ
•ВЕНОК ДУНАЯ•

Этот жгутик соберите по схеме на *рис. 123.* На кольце из восьми бисерин сделайте два лепестка по формуле 3 зелен. бис. каждый.

Сделайте 2 — 4 ряда зеленых лепестков.

Далее один лепесток измените и работайте по формуле 1 зелен. бис. — петля из шести бисерин + 1 зелен. бис. Петли набирайте то голубым, то желтым бисером. Соберите жгут нужной вам длины.

Через «Эйфелеву башню» с тремя «ножками» и линией с десятью бисеринами «под пальцы» подойдите к замочку и пришейте его.

Вернитесь к первому цветочку жгута. Вышейте центры цветочков точками бисеринок — то белого, то розового цветов по *рис. 5.* Вышивайте только в одном направлении.

Укрепите узлами на оси леску, когда подойдете к концу жгута.

Соберите «Эйфелеву башню» и линию «под пальцы». Используйте для этого или оставленную в начале плетения леску 15 — 20 см, или леску, приведенную на этот край жгута при вышивке центров цветочков.

Материалы для жгута «Венок Дуная»	
◉	Голубой бисер
◉	Зеленый бисер
◉	Желтый бисер
◉	Белый бисер
◉	Розовый бисер

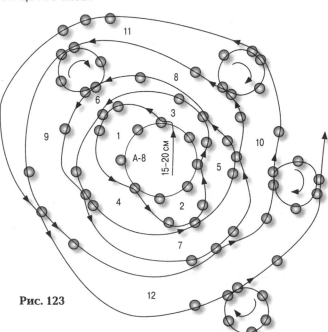

Рис. 123

Плоские цветки растягивайте на пенопласте и смотрите, подходит ли вам такой цветок. Часто ваш материал не соответствует тому, что имел в виду мастер, составляя схему. И результатом своей работы вы можете остаться недовольны, если не внести коррективы

ЖГУТ
•СИРЕНЬ•

Материалы для жгута «Сирень»

Три оттенка сиреневого бисера

Розово-сиреневый стеклярус

Для работы над этим жгутом надо подобрать три оттенка сиреневого бисера примерно одного размера, а также розово-сиреневый стеклярус.

На бисерном кольце А-11 соберите три лепестка по формуле 1 стекл. + 2 бис. + 1 стекл. Уже на четвертом лепестке меняйте формулу набора на новую: 1 стекл. — петля из 8 бис. + 1 стекл., при этом обратитесь к *рис. 119* и *рис. 120*. До конца жгута работайте по *рис. 121*.

Закончите плетение так же, как и начинали, по формуле 1 стекл. + 1 бис. + 1 стекл. Соберите три таких лепестка.

Затем, проходя от одной бисерной вершине к другой, прокладывайте по 2 бисерины. В результате получите кольцо А"= 11 бис. Пройдите по нему пару раз леской для крепости и соберите «Эйфелеву башню», 10 бисерин «под пальцы». Затем пришейте замочек. Это же сделайте с другой стороны жгута, для чего оставляйте конец лески 15 — 20 см.

Теперь приступайте к вышивке колец *(рис. 5).*

Все кольца в трех лепестках плетения разные. Бисерины-вершины в вышивке сделаны самого темного из трех подобранных оттенков сиреневого цвета. Придумайте, как эффектнее можно скомбинировать бисер. Вышивая, ориентируйтесь на *рис. 5*, но не забывайте об изменении по формуле 5 бис. в первой линии. Возвращаясь, работайте по формуле 2 бис. — пройти сквозь среднюю в готовом вышитом ряду + 2 бис. — пройти сквозь стеклярус, и вышивать следующее кольцо так же.

Жгут хоть и на три лепестка, но получается большого диаметра. Это происходит за счет больших колец на 8 бисерин в петлях лепестков. Да и бисер немного большего размера, чем, скажем, в жгуте «Царского колье».

При желании и большой ловкости в ремесле вышивку колец можно проводить во время плетения жгута, как в модели «Царское колье» *(рис. 76—81,)* только по вышеуказанной формуле вышивки.

ЛОЖНЫЙ ЖГУТ
•КОРАЛЛЫ•

Объемным изделием могут быть не только жгуты и шнуры, но и множество всевозможных бисерных конструкций. Попробуем сделать так называемый ложный жгут.

Пришейте деталь застежки.

Наберите десять золотистых бисерин «под пальцы».

Наберите нужную вам линию из прозрачных красных бусин диаметром 5 мм.

Сразу нанижите 10 золотистых бисерин «под пальцы».

Пришейте вторую деталь застежки.

Вернитесь по линии «под пальцы», сделав пару узлов на оси.

Выйдите после первой бусины. Далее работайте по схеме на *рис. 124.*

Поочередно набирайте то 10 красных бусин, то 10 золотистых бисерин, при этом уже готовую линию немного «обжимайте» левой рукой, чтобы линии не путались. Когда подойдете к последней бусине, привяжите леску двумя-тремя узлами, «уйдите» по основной линии бус и обрежьте леску.

У вас оставался конец лески от пришивания первой детали застежки. Втяните его в иглу, уведите внутри бисерин «под пальцы», сделав два-три узла на оси, и обрежьте.

Материалы для ложного жгута «Кораллы»
⬤ Золотистый бисер
⬤ Красные прозрачные бусины 5 мм

Рис. 124

77

ЛОЖНЫЙ ЖГУТ С ЦВЕТКОМ

От цветка в обе стороны отходят объемные бисерные конструкции, которые похожи на жгут. Но это — бисерные «колечки», набираемые двумя иглами по *рис. 3* и украшенные вышивкой-плетенкой по *рис. 6.* «Колечки» расшиваются и с лицевой, и с изнаночной сторон двумя рядами вышивки-плетенки. В каждом ряду вышивки по 5—7 бисерин.

Цветок возможен и плоский, и объемный. Выбор за вами.

Если вы соберете «колечки» на полный ваш размер, а затем разошьете их, набирая по одной диагонали с каждой стороны, то получите легкую, воздушную конструкцию, которая еще больше будет похожа на жгут.

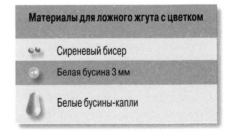

Материалы для ложного жгута с цветком	
●●	Сиреневый бисер
●	Белая бусина 3 мм
▮	Белые бусины-капли

СОДЕРЖНИЕ

АЗЫ БИСЕРОПЛЕТЕНИЯ 5
Основные способы бисеросплетения.
Начало и завершение работы 6
Как пришить застежку *(рис. 1)* 6
Как привязать и удлинить леску 6
Как набрать 10 бисерин «под пальцы» *(рис. 2)* 6
Как создать треугольник 7
Как выполнить цепочку «колечки» *(рис. 3, 4)* . . . 7
Как сделать вышивку-плетенку
    по колечкам *(рис. 5, 6)* 7
Уголки «кремлевская стена» могут стать очень
    красивой окантовкой *(рис. 7)* 8
Цепочка «крестики» *(рис. 8, 9, 10, 11)* 9
Растяжка на пенопласте 10
Ручное ткачество. Бисерное полотно.
    Бисерная площадка. Порядовая
    нумерация бисерин *(рис. 12)* 10
Расширение полотна при ручном ткачестве. Ровные
    торцы площадки *(рис. 13)* 11
Сужение бисерной площадки методом
    ручного ткачества *(рис. 14)* 12
Окантовка площадки бисерной линией
    (рис. 15, 16) 12
Окантовка полотна ажурной полосой 14
Бисерное полотно однотонное
    и с рисунком. 14
Закрепление страза на бисерном полотне
    (с булавками, без них) 14
Закрепление пуговицы на бисерном
    полотне (без растяжки пуговицы леской
    и с растяжкой) *(рис. 17, 18)* 15
Ажурный «стаканчик» из бисера вокруг
    страза, пуговицы или бусины (в один ряд;
    в два ряда; с вышивкой рядов; с проложением
    дополнительных бисерин в рядах; с захватом
    точки пришивания, без захвата точки
    пришивания) *(рис. 19, 20, 21, 22, 23, 24, 25)* . . . 16
Конструирование бисерного полотна,
    выполненного методом ручного ткачества
    (квадрат, ромб; полоса; круг, овал;
    сложные бисерные площадки крест,
    сердечко, бабочка и т.д.) *(рис. 26, 27, 28, 29,
    30, 31, 32, 33, 34, 35, 36, 37)* 18
Переход от одной бисерной площадке к другой.
    Соединение площадок (прямое и через
    дополнительные бисерные линии)
    (рис. 38, 39) 21
Мозаичное полотно из бисера;
    из стекляруса *(рис. 40, 41)* 22
Расширение мозаичного полотна
    (в длину; в высоту) *(рис. 42, 43)* 23
Сужение мозаичного полотна
    (рис. 44, 45, 46, 47) 24
Сужение мозаичного полотна с одной
    стороны и одновременное его расширение
    с другой стороны — скошенное мозаичное
    плетение *(рис. 48, 49, 50, 51)* 25

Вышивка по мозаичному полотну
    (бисером, бусами, стеклярусом, пуговицами,
    стразами) *(рис. 52, 53)* 27
Окантовка мозаичного полотна (бисерной линией,
    ажурной лентой из бисера,
    стекляруса и бус, «кудрявые края»,
    «веточки») *(рис. 52, 53)* 27
Переход на застежку с любого вида
    бисерного полотна 28
Жгуты *(рис. 54, 55, 56)* 28
Вышивка жгутов: петли, веточки, вышивка-
    плетенка, точки бус, дополнительные
    конструкции вместо бисерины на вершине (петля,
    кольцо, вышитое кольцо — один ряд вышивки,
    два ряда вышивки) 30
Сшивание жгутов. Общий новый жгут
    (рис. 57, 58, 59, 60) 30
Лекало для конструирования колье *(рис. 61)* . . . 31

МОДЕЛИ УКРАШЕНИЙ 33
Колье «Клевер» (жгут, подвеска) *(рис. 62, 63)* . . . 34
Колье «Нежное» *(рис. 64)* 36
Колье-стойка «Цветущая Индия» *(рис. 65,
    66, 67, 68, 69, 70, 71, 72, 73, 74)* 38
Жгут «Золотые розочки» *(рис. 75)* 40
Колье «Первая любовь» (жгут с подвеской)
    (рис. 76, 77, 78, 79, 80, 81) 42
Колье «Ландыш серебристый» *(рис. 82, 83,
    84, 85, 86, 87, 88, 89, 90, 91)* 44
Колье «Ирис в росе» *(рис. 92, 93, 94)* 48
Колье «Роза» *(рис. 95, 96, 97, 90, 99, 100, 101)* 50
Колье «Волшебный цветок»
    (жгут и подвеска) 52
Колье «Царское» (жгут и подвеска) 54
Колье «Русское» 56
Колье «Мой крест» *(рис. 102, 103)* 58
Колье «Весеннее» *(рис. 104, 105, 106, 107,
    108, 109, 110)* 60
Колье-стойка «Первоцветы» 62
Колье «Малахитовое» *(рис. 111)* 64
Колье «Бабочка» (подвеска, цепочка) 66
Жгут «Нарядный с лилией» *(рис. 112)* 67
Жгут с крестиком *(рис. 113)* 68
Жгут «Красно-золотые петельки» *(рис. 114)* . . . 69
Жгут «Красный в серебре и золоте»
    (рис. 115) 70
Жгут «Девичьи слезы» *(рис. 116)* 71
Жгут «Голубая лагуна» *(рис. 117)* 72
Жгут «Армянская песня» *(рис. 118)* 73
Жгут «Голубая мечта»
    (рис. 119, 120, 121, 122) 74
Жгут «Венок Дуная» *(рис. 123)* 75
Жгут «Сирень» 76
Ложный жгут «Кораллы» *(рис. 124)* 77
Ложный жгут с цветком 78

Зинаида Петрова
Алексей Петров

МОДЕЛИ ИЗ БИСЕРА
ПОВСЕДНЕВНЫЕ И ВЕЧЕРНИЕ

Ответственный редактор *Л. Клюшник*
Художественный редактор *Е. Ененко*
Компьютерная графика *Г. Булгакова*
Технический редактор *М. Печковская*
Компьютерная верстка *В. Позднякова*
Корректор *Е. Варфоломеева*

Почтовый адрес авторов: 352120, Краснодарский край,
г. Тихорецк, Главпочтамт, до востребования,
Петровой Зинаиде Алексеевне.
Эл. почта: petrov...biser@mail.ru

ООО «Издательство «Эксмо»
127299, Москва, ул. Клары Цеткин, д. 18/5. Тел.: 411-68-86, 956-39-21.
Home page: **www.eksmo.ru** E-mail: **info@ eksmo.ru**

Оптовая торговля книгами «Эксмо» и товарами «Эксмо-канц»:
ООО «ТД «Эксмо». 142700, Московская обл., Ленинский р-н, г. Видное,
Белокаменное ш., д. 1, многоканальный тел. 411-50-74.
E-mail: **reception@eksmo-sale.ru**

Полный ассортимент книг издательства «Эксмо» для оптовых покупателей:
В Санкт-Петербурге: ООО СЗКО, пр-т Обуховской Обороны, д. 84Е.
Тел. отдела реализации (812) 365-44-80/81/82.
В Нижнем Новгороде: ООО ТД «Эксмо НН», ул. Маршала Воронова, д. 3.
Тел. (8312) 72-36-70.
В Казани: ООО «НКП Казань», ул. Фрезерная, д. 5. Тел. (8435) 70-40-45/46.
В Самаре: ООО «РДЦ-Самара», пр-т Кирова, д. 75/1, литера «Е». Тел. (846) 269-66-70.
В Екатеринбурге: ООО «РДЦ-Екатеринбург», ул. Прибалтийская, д. 24а.
Тел. (343) 378-49-45.
В Киеве: ООО ДЦ «Эксмо-Украина», ул. Луговая, д. 9. Тел./факс: (044) 537-35-52.
Во Львове: Торговое Представительство ООО ДЦ «Эксмо-Украина»,
ул. Бузкова, д. 2. Тел./факс: (032) 245-00-19.

Мелкооптовая торговля книгами «Эксмо» и товарами «Эксмо-канц»:
117192, Москва, Мичуринский пр-т, д. 12/1. Тел./факс: (495) 411-50-76.
127254, Москва, ул. Добролюбова, д. 2. Тел.: (495) 745-89-15, 780-58-34.

Полный ассортимент продукции издательства «Эксмо»:
В Москве в сети магазинов «Новый книжный»:
Центральный магазин — Москва, Сухаревская пл., 12. Тел.: 937-85-81, 780-58-81.
В Санкт-Петербурге в сети магазинов «Буквоед»:
«Магазин на Невском», д. 13. Тел. (812) 310-22-44.

Подписано в печать 31.05.2006. Формат 84x108 $^1/_{16}$.
Гарнитура «Балтика». Печать офсетная. Бумага офсетная. Усл. печ. л. 8,4.
Тираж 7 000 экз. Зак. № 3575.

Отпечатано в полном соответствии с качеством
предоставленных диапозитивов в ОАО "Тульская типография".
300600, г. Тула, пр. Ленина,109 .

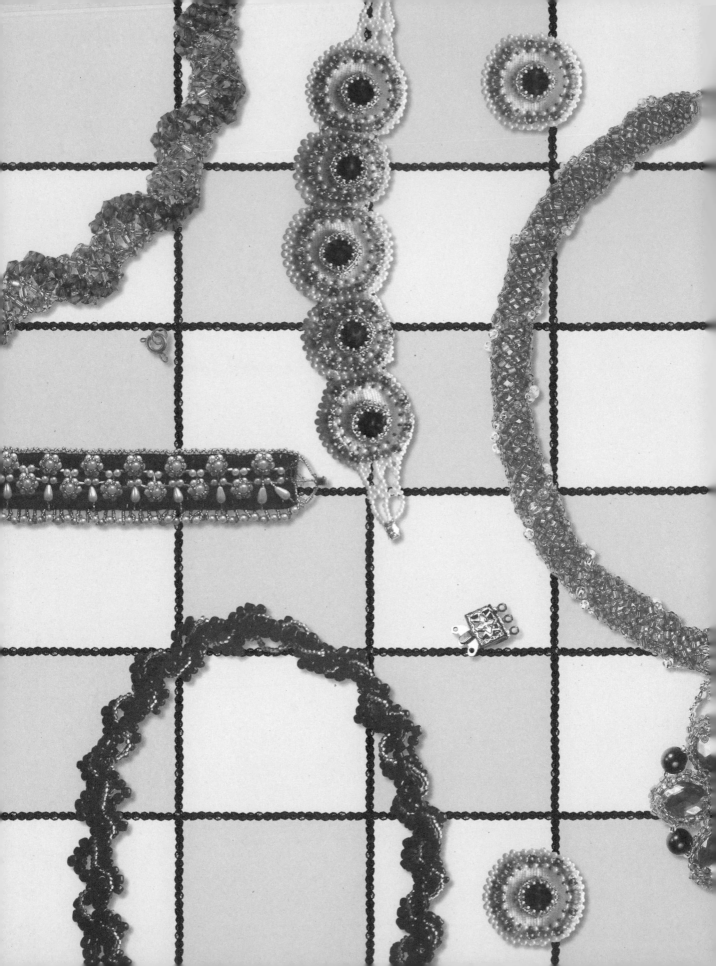